D1074099

ENCYCLOPÉDIE DE LA NATURE

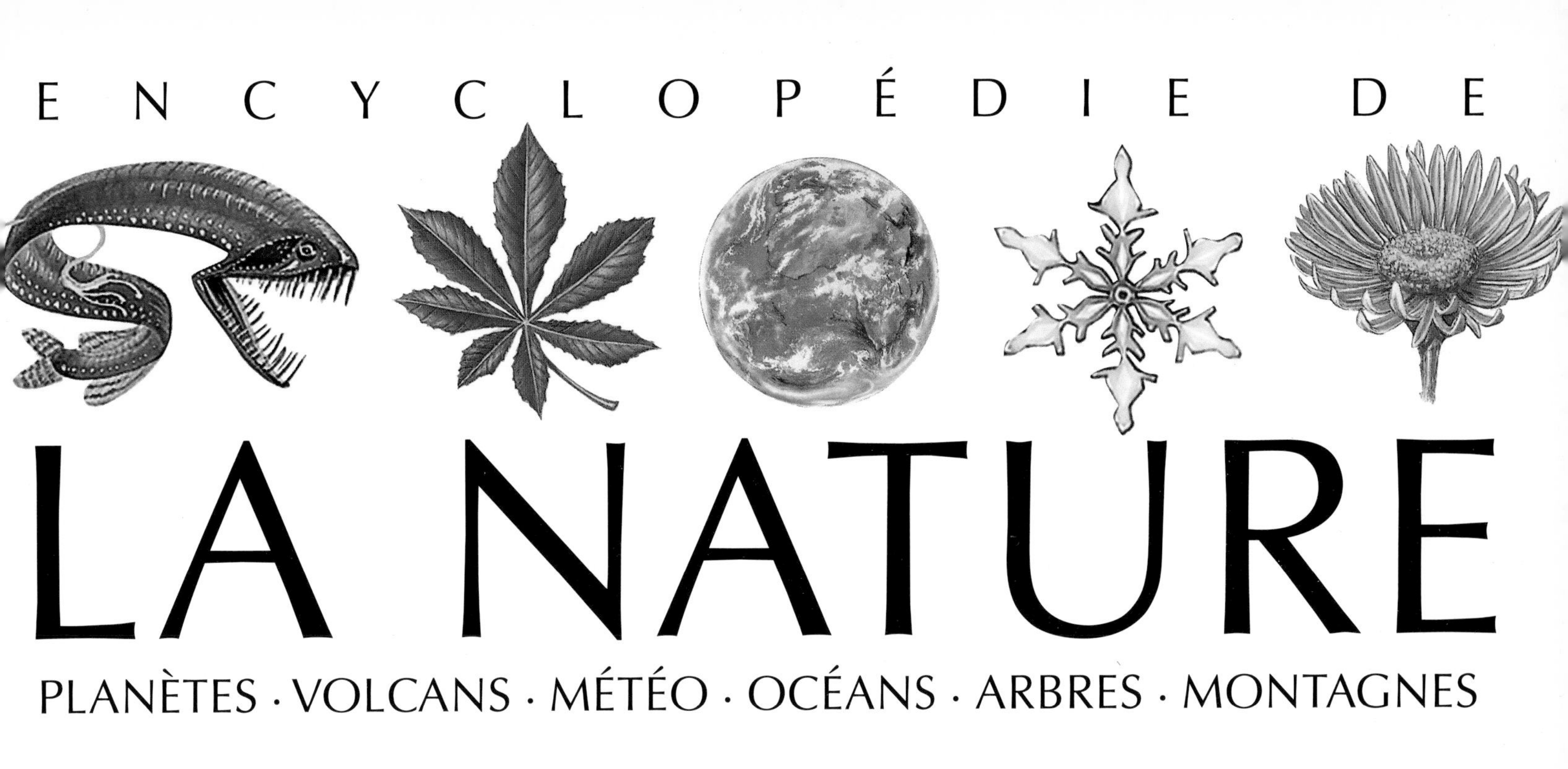

ENCYCLOPÉDIE DE LA NATURE

PLANÈTES · VOLCANS · MÉTÉO · OCÉANS · ARBRES · MONTAGNES

Conception
Émile BEAUMONT

ÉDITIONS FLEURUS, 15-27 rue Moussorgski 75018 PARIS

LES OCÉANS

Texte
Agnès VANDEWIELE

Images
Jacques DAYAN

LE PACIFIQUE

Cet immense océan est le plus grand de la planète (deux fois l'Atlantique). Il se situe entre la côte est de l'Asie et la côte ouest de l'Amérique. Dans sa plus grande largeur, il s'étend sur plus de 17 500 km ! Il est parcouru par une longue dorsale, qui est une chaîne de montagnes sous-marines dues à la rencontre de deux plaques de la croûte terrestre. Lorsque ces plaques bougent, elles créent des failles, des séismes, des raz de marée et des volcans. Les nombreuses îles volcaniques forment trois ensembles : Mélanésie et Micronésie (au large de l'Australie) et Polynésie (au milieu du Pacifique).

Les récifs

Dans les eaux chaudes du Pacifique se trouvent de nombreuses îles coralliennes entourées de récifs qui se sont constitués lentement avec le calcaire des coraux. Le plus grand récif de corail du monde se situe au large de l'Australie : la Grande Barrière. C'est un long cordon de corail qui mesure plus de 2 000 km. Cette merveille est formée de plus de 400 espèces différentes de coraux.

Les artistes du Pacifique

Les Mélanésiens, habitants de la Mélanésie, comme d'autres peuples du Pacifique, réalisent des figurines et des masques de bois peint, de plumes et de fibres. Ils sont aussi experts dans le travail de l'écaille et font de magnifiques colliers de coquillages.

Les statues de l'île de Pâques

Cette île, qui se trouve au large du Chili, est connue pour ses 900 statues de pierre de toutes tailles, allongées ou dressées en lignes. Elles ont été sculptées du Xe au XVIIe siècle par des Polynésiens dans la roche des volcans. Certaines pèsent des dizaines de tonnes !

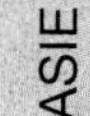

fosse

Les plages

De magnifiques plages bordent côtes et îles du Pacifique. Leur sable est parfois tout blanc, fait de poussières de corail. Sur les îles volcaniques, le sable peut être gris ou noir.

Les fonds

Cette coupe montre combien les fonds du Pacifique sont irréguliers. On y trouve les points les plus profonds de la planète, comme la fosse des Mariannes (presque 11 km), et les montagnes sous-marines les plus élevées. Des volcans émergent parfois et forment des chapelets d'îles à la surface.

Des poissons multicolores

Dans les eaux tropicales, abondent des poissons de toutes les couleurs. À rayures, à pois ou à taches, ils se confondent avec les rochers et coraux pour échapper à leurs ennemis.

L'ATLANTIQUE

En superficie, c'est le deuxième océan de la planète avec 106 millions de km^2. Il s'étend de l'océan Arctique à l'océan Austral et borde trois continents : l'Europe de l'Ouest, les côtes est de l'Amérique et ouest de l'Afrique. Son fond est formé de vastes plaines sillonnées de dorsales (chaînes de montagnes), comme la longue dorsale médio-atlantique qui le divise en deux du nord au sud sur plus de 11 000 km. Le Gulf Stream est un courant marin très important qui traverse l'Atlantique d'ouest en est. Il naît dans le golfe du Mexique et vient réchauffer les côtes anglaises et bretonnes. Entre les grands ports européens et américains le trafic maritime est intense.

La pêche

L'Atlantique abrite une grande variété de poissons et la pêche y est très développée. C'est dans l'Atlantique qu'est née la pêche industrielle. On attrape dans cet océan la moitié de tous les poissons pêchés dans le monde. Les poissons présentés à gauche y sont capturés par millions de tonnes !

Morue

Maquereau

Thon blanc

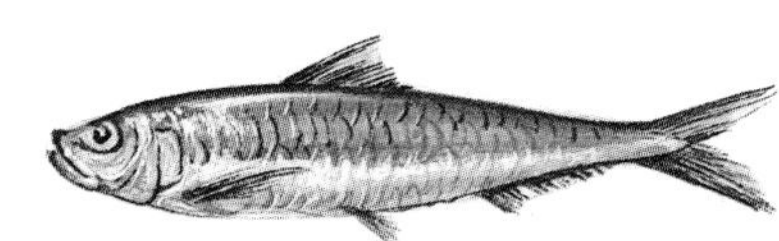

Sardine

Hareng

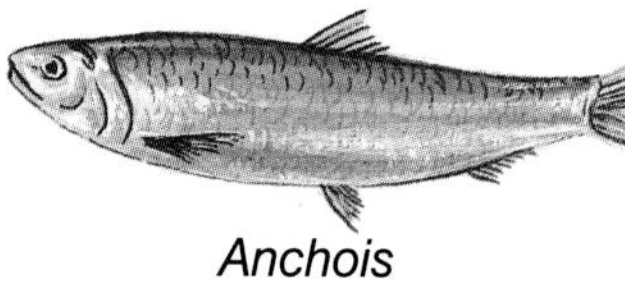

Anchois

Crevette

Les phares

Aux abords des côtes découpées, on a construit des phares. Leurs signaux lumineux guident les navires la nuit et par mauvais temps. Chaque phare se reconnaît au rythme de ses signaux. Malgré les techniques modernes (radars, satellites...), les phares restent indispensables.

Le phare de Cordouan, ci-dessous, en France, au large de l'estuaire de la Gironde, est une curiosité. Haut de 63 m, il renferme une chapelle et un appartement royal.

Les trous bleus

Ce sont de très vastes grottes de calcaire sous-marines en plein océan. Grâce aux équipements modernes de plongée (scooters sous-marins ou soucoupes monoplaces), on peut explorer ces trous bleus. On y descend par une sorte de cheminée naturelle et on découvre alors d'étonnantes constructions faites de stalactites et stalagmites. Les trous bleus explorés se trouvent dans les eaux très limpides des Bahamas.

Les grandes courses

De grandes courses de voiliers ont lieu dans l'Atlantique. La Transat anglaise, traversée de l'Atlantique en solitaire, se court tous les quatre ans, de Plymouth (Angleterre) à Newport (USA). Et la Route du Rhum se dispute elle aussi tous les quatre ans, mais de Saint-Malo, en Bretagne, à Pointe-à-Pitre, en Guadeloupe.

Les croisières

De luxueux paquebots parcourent l'Atlantique au nord (Norvège, Islande...) et au sud (Brésil, Argentine). D'autres magnifiques croisières ont lieu dans les Caraïbes, en Amérique centrale. Musique, danse et autres loisirs accompagnent le voyage sur l'eau.

L'OCÉAN INDIEN

Il s'étend sur environ 75 millions de km^2. C'est le troisième océan de la planète. Il borde l'Afrique à l'ouest, l'Inde au nord et l'Indonésie et l'Australie au sud-est. Il est parsemé d'environ 5 000 îles parmi lesquelles de grandes comme Madagascar, des volcaniques comme la Réunion, et des coralliennes comme l'archipel des Maldives. Dans les zones tropicales, l'océan Indien est traversé par les moussons : des vents qui font changer les courants de direction deux fois par an. L'été, ils soufflent de l'océan vers la terre et en hiver, inversement. Ces vents chargés d'humidité déversent des pluies torrentielles sur le continent .

L'Inde

C'est un vaste pays, grand comme six fois la France, qui s'avance en forme de triangle dans l'océan Indien. Il rassemble une population nombreuse (930 millions d'habitants). L'océan contribue à nourrir tous ces hommes grâce à la pêche très développée et grâce aux moussons qui arrosent abondamment les terres cultivées.

Jeune Indienne en sari

Les Seychelles

C'est un archipel de 32 îles granitiques et 83 îles coralliennes situées au nord de Madagascar en plein cœur de l'océan Indien. Les îles granitiques, où est installée la plus grande partie de la population, sont toutes montagneuses. Les habitants vivent surtout de la pêche et du tourisme. Beaucoup de vacanciers y viennent, attirés par les magnifiques plages. Les Seychelles abritent une faune et une flore étonnantes, et les plongeurs peuvent découvrir des fonds et des poissons superbes.

Le long des plages des Seychelles, les cocotiers se dressent au milieu d'immenses blocs de granit.

Des sculptures étonnantes

Dans l'une des plus belles baies de Thaïlande, 300 pitons calcaires, ci-contre, aux formes découpées, surgissent de l'eau. Ces énormes rochers sculptés par le temps sont percés de cavernes et entaillés de fissures. Certains mesurent plus de 100 m de haut !

Mangroves et algues

Le long des nombreuses côtes, comme celles de l'Australie, s'étendent de grands champs d'algues et des mangroves, ces forêts dont les arbres ont des racines qui poussent dans l'eau.

Aborigène d'Australie

La pêche

Sur les côtes du Sri Lanka, une île au sud de l'Inde, on peut voir des pêcheurs bien particuliers. Juchés sur des pilotis faits de branches plantées dans le fond de l'eau, ils pêchent à la ligne. Aux Maldives, les pêcheurs ont des bateaux à fond plat sur lesquels ils pêchent grâce à des perches munies de lignes. À côté de ces méthodes artisanales, se développe aussi la pêche industrielle.

L'ARCTIQUE ET L'OCÉAN AUSTRAL

L'océan Arctique entoure le pôle Nord et borde l'Europe, l'Asie, le Groenland et l'Amérique du Nord. Avec une surface de 14 millions de km^2, c'est le plus petit des océans. Sur son pourtour vivent divers peuples de chasseurs et de pêcheurs (Lapons, Inuit...). La pêche y est importante et on y trouve aussi de grandes réserves de pétrole. L'océan Austral entoure le continent antarctique, recouvert d'une calotte glaciaire, où se trouve le pôle Sud. En hiver, plus de la moitié de sa surface est gelée. Sur cet océan, flottent d'immenses étendues de glace, dont certaines sont aussi grandes que la France.

Les animaux du pôle Nord

La banquise du pôle Nord est le royaume des ours polaires, des phoques, des renards blancs et des lièvres arctiques. L'ours blanc chasse le phoque, il guette le moment où celui-ci sort de son trou de glace et l'assomme d'un coup de patte. Une fois mangées la peau et la graisse du phoque, il laisse la carcasse au renard blanc.

Paysage de l'Arctique

À l'arrivée du printemps, avec le redoux, la banquise se brise et la neige du continent se met à fondre. C'est à partir de cette époque que quelques plantes peuvent pousser. La glace, qui s'était formée en hiver, le long des côtes, fond et libère le continent. Des glaciers se détachent des icebergs et sous la chaleur du soleil, la glace peut se cristalliser et former des épées glacées dans le paysage.

Les icebergs ont des formes différentes dans l'Antarctique et l'Arctique. La plupart de ceux de l'Arctique proviennent des glaciers du Groenland, ils sont hauts avec un contour très découpé. Les icebergs de l'océan Austral, eux, sont plutôt plats comme des tables, on les nomme « tabulaires ».

)es océans qui gèlent

?endant l'hiver, l'océan Austral se couvre d'une)ellicule de glace de mer sur plusieurs millions de km^2 ; il devient impossible d'y naviguer. L'océan Arctique est aussi recouvert d'une couche de glace durant de longs mois, et seuls les brise-glace)euvent s'y frayer un chemin. Ces bateaux ont une coque renforcée et ils peuvent casser la glace)uvrant ainsi un passage libre.

Les manchots sont d'excellents nageurs et de bons plongeurs.

Les animaux du pôle Sud

Sur la banquise australe vivent surtout des manchots empereurs. Des éléphants de mer et certains phoques habitent aussi cette région très froide.

LES FONDS MARINS

Il existe sous les océans la même diversité de paysages que sur la terre. En effet, grâce à des instruments d'observation modernes (submersibles, sondeurs, satellites), on a découvert que les fonds marins abritent des plaines, des plateaux, des chaînes de montagnes, des fosses... Près des côtes, on trouve d'abord, à environ 200 m de profondeur, le plateau continental, puis le fond peut descendre jusqu'à 3 000 m par une pente abrupte : le talus continental. Au bas de cette pente se situent les vastes plaines abyssales. Elles sont séparées les unes des autres par des chaînes montagneuses ou des fosses très profondes.

Les fosses

Ce sont de véritables ravins sous-marins. Froides et obscures, les fosses sont, en général, les endroits les plus profonds de la croûte terrestre. La fosse des Mariannes, dans le Pacifique, s'enfonce jusqu'à 11 000 m.

Les dorsales

Ce sont de longues chaînes de montagnes volcaniques qui traversent le fond des océans. Elles peuvent atteindre 4 000 m de haut. La plus grande se trouve dans l'océan Atlantique ; elle divise cet océan en deux du nord au sud.

La vie dans les fonds marins

C'est entre 0 et 200 m de fond que vivent les espèces animales et végétales les plus variées : algues, vers, crustacés, éponges et poissons, comme la murène et la rascasse. Entre 300 et 2 500 m, on ne trouve plus d'algues ni de coraux et au-delà de 2 500 m, le froid, la pression, le manque de lumière et de nourriture réduisent la vie animale.

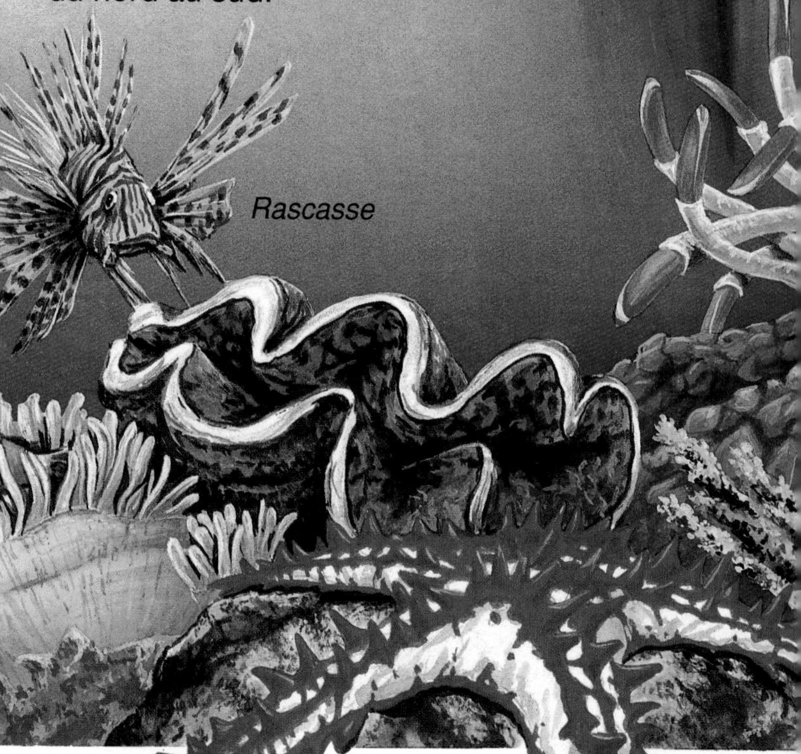

Murène

Rascasse

La surface des océans

La surface des océans n'est pas lisse et plate. Elle est parsemée de creux et de bosses qui reflètent le relief des fonds marins. Ainsi, aux endroits où s'élève une montagne sous-marine, la surface de l'océan est bombée, au-dessus d'une fosse océanique, elle présente un creux.

Les fumeurs

Au fond des océans existent parfois d'étonnantes sources d'eau chaude, qui forment de véritables cheminées sous-marines pouvant atteindre 10 m de haut. On les appelle fumeurs noires car elles crachent des nuages sombres contenant du soufre et d'autres éléments minéraux.

Les plaines abyssales

Plus de la moitié des océans est formée par les plaines abyssales. Ce sont de vastes étendues plates et monotones, larges parfois de 2 000 km. Certaines se trouvent à plus de 6 km de profondeur. Elles sont nombreuses dans l'océan Indien et l'océan Atlantique.

Les animaux des abysses

Les animaux qui vivent à plus de 2 500 m de fond dans le froid et l'obscurité sont assez extraordinaires ! Beaucoup d'entre eux ont un corps lumineux. Cette caractéristique leur permet de se reconnaître entre eux ou d'attirer des proies.

Grandgousier

Poisson-pêcheur

Poisson-hachette

LES VOLCANS

Des milliers de volcans occupent le fond des océans. Certains émergent des eaux et forment des îles volcaniques. Tous les volcans ne se forment pas de la même façon. De grandes chaînes de montagnes volcaniques sont nées de la rencontre d'une plaque océanique avec une plaque continentale. D'autres volcans sont apparus par la formation d'une colonne de lave brûlante remontée du manteau de la Terre et qui a jailli en surface, c'est le cas des îles d'Hawaii. Le plus grand volcan de la planète se trouve d'ailleurs dans cet archipel d'Hawaii, il s'agit du Mauna Loa, qui s'élève à plus de 9 000 m depuis sa base au fond du Pacifique.

Le Stromboli

C'est un cône volcanique situé au fond de la mer Tyrrhénienne, au large de la Sicile. Il mesure 3 000 m de la base jusqu'au sommet, mais il ne dépasse de la surface de l'eau que de 926 m. Toujours actif, il est couronné d'un panache de fumée le jour et d'une gerbe de flammes la nuit.

La plupart des volcans actifs sont groupés sur les bords de l'océan Pacifique, dans une zone que l'on appelle la « ceinture de feu ».

Cette ceinture passe par le Japon, la Nouvelle-Zélande, et remonte par la Cordillère des Andes, la Californie et jusqu'à l'Alaska. Son tracé suit la jointure des plaques océaniques et continentales. Éruptions volcaniques et tremblements de terre y sont fréquents.

Les atolls

①

②

③

1 - *L'origine d'un atoll est une île volcanique autour de laquelle se développent des récifs de coraux.*

2 - *Au fur et à mesure que l'île s'enfonce ou que le niveau de la mer monte, le récif forme une barrière autour de l'île.*

3 - *Quand l'île a complètement disparu, il reste un atoll de corail, entourant un lagon peu profond.*

Les points chauds

Au fond de certains océans, émerge un panache de magma en fusion : c'est un point chaud. Quand une plaque océanique en mouvement passe au-dessus de ce point chaud, la lave brûlante transperce la plaque et un volcan jaillit dans la mer. C'est ainsi que se sont formés les volcans d'Hawaii, en forme de cône.

Lorsque la lave des volcans jaillit et qu'elle entre en contact avec l'eau froide, l'écart de température crée de gros « boudins » que l'on nomme coussins ou oreillers. Le cœur de ces coussins reste longtemps chaud tandis que l'enveloppe s'est refroidie et striée.

Dans la Méditerranée on trouve plusieurs volcans actifs comme le Vésuve (Italie) et l'Etna (Sicile).

LES COURANTS

Les courants sont comme de larges fleuves qui circulent dans les océans, à la surface ou en profondeur.
Les vents qui soufflent sur les océans font naître les courants de surface.
Les vents alizés sont actifs de chaque côté de l'équateur, d'est en ouest.
Ils créent les courants chauds équatoriaux, qui sont ensuite déviés à cause de la rotation de la Terre.
Les courants marins forment d'immenses boucles dans les parties nord et sud des océans. Dans les régions polaires, naissent des courants de profondeur. Ils sont froids et dus à des différences de température et de salinité entre les eaux de surface et celles de fond.

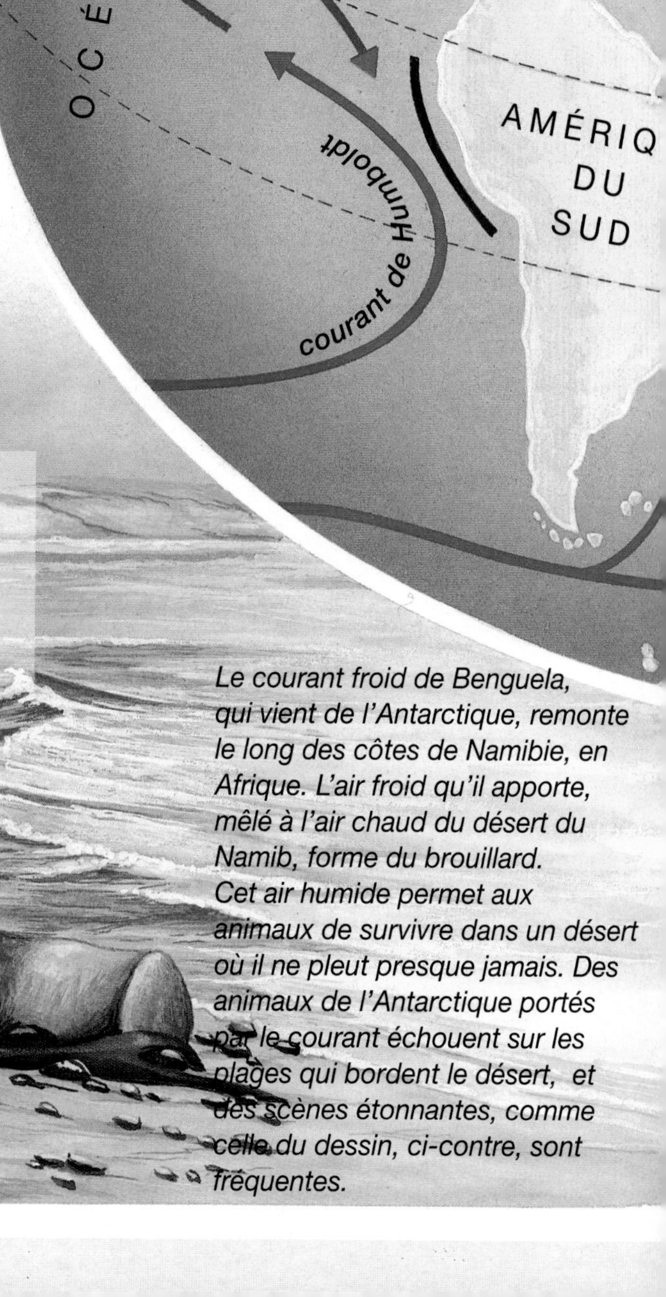

Le rôle des courants

Les courants chauds des régions équatoriales et les courants froids des régions polaires tempèrent les climats des continents qu'ils côtoient. Ainsi, le Gulf Stream, courant tiède venu du nord-ouest de l'Atlantique, adoucit le climat des côtes de l'Europe.

Les courants peuvent aussi enrichir la vie sous-marine. Le courant froid de Humboldt, venu de l'Antarctique, fait remonter les eaux profondes riches en plancton, et rend ainsi les côtes péruviennes et chiliennes très poissonneuses.

Le courant froid de Benguela, qui vient de l'Antarctique, remonte le long des côtes de Namibie, en Afrique. L'air froid qu'il apporte, mêlé à l'air chaud du désert du Namib, forme du brouillard. Cet air humide permet aux animaux de survivre dans un désert où il ne pleut presque jamais. Des animaux de l'Antarctique portés par le courant échouent sur les plages qui bordent le désert, et des scènes étonnantes, comme celle du dessin, ci-contre, sont fréquentes.

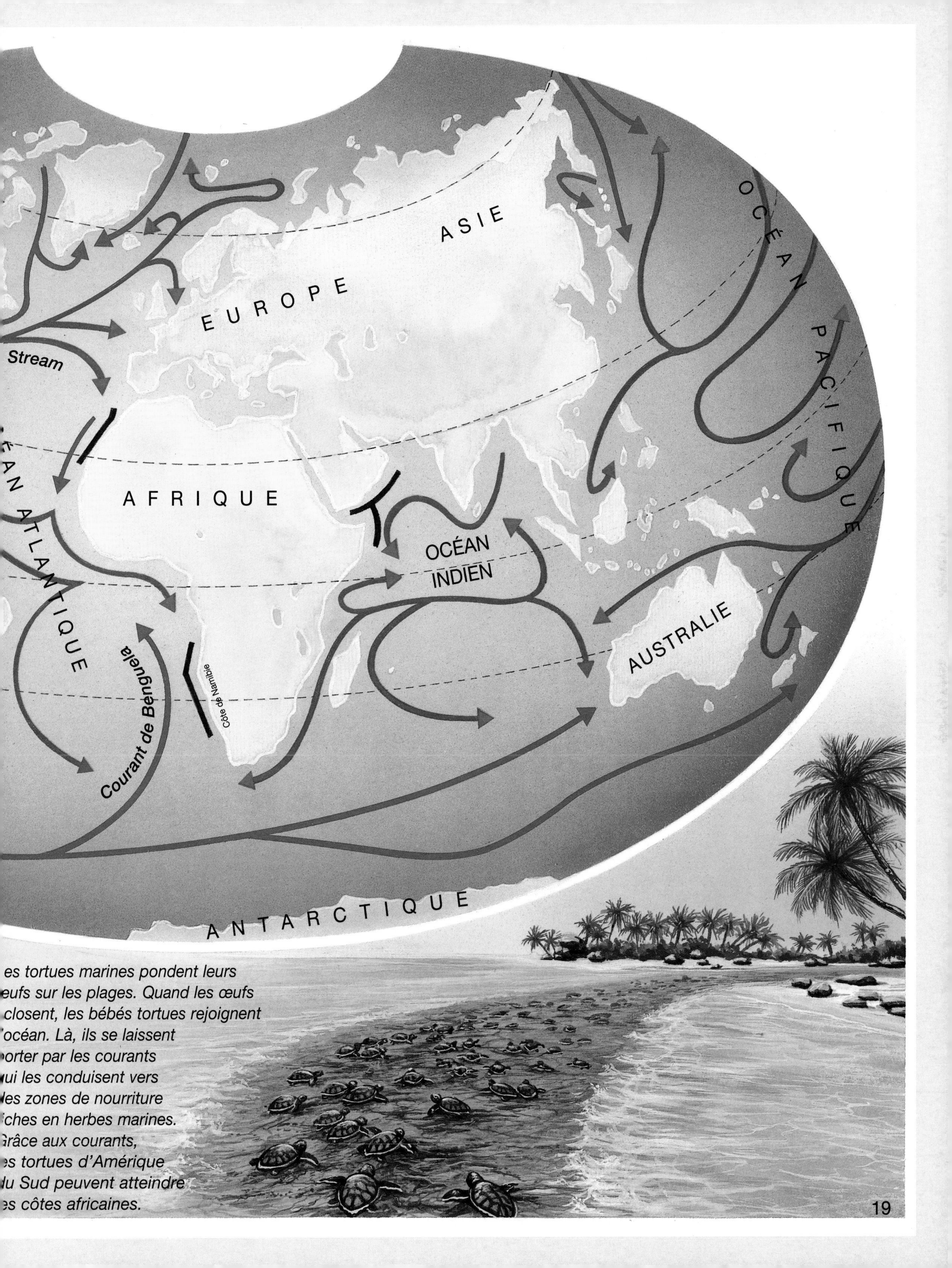

es tortues marines pondent leurs eufs sur les plages. Quand les œufs closent, les bébés tortues rejoignent 'océan. Là, ils se laissent orter par les courants ui les conduisent vers les zones de nourriture 'ches en herbes marines. Grâce aux courants, es tortues d'Amérique lu Sud peuvent atteindre es côtes africaines.

LES MARÉES

La Lune et le Soleil attirent les eaux de notre planète et font ainsi varier le niveau des océans : c'est ce qui explique l'existence des marées. Sur la plupart des côtes, il y a deux marées hautes et deux marées basses par jour. L'amplitude des marées, c'est-à-dire la différence du niveau de l'eau entre la marée haute et la marée basse qui suit, varie tout au long d'un mois. La hauteur des marées dépend aussi de la forme de l'océan, de sa profondeur et du découpage de ses côtes. Les marées sont faibles en plein milieu des océans et dans des mers comme la Méditerranée. Le long de certaines côtes, en revanche, elles sont impressionnantes.

Les estuaires des fleuves

Les marées sont visibles dans les estuaires des fleuves. Lorsque la marée monte, une sorte de mur d'eau remonte le fleuve, ce phénomène s'appelle un mascaret et peut se faire sentir jusqu'à 10 km à l'intérieur des terres !

Le Mont-Saint-Michel

Dans la baie du Mont-Saint-Michel, les marées les plus importantes peuvent avoir une amplitude de 16 m ! À marée haute, l'île est encerclée par les eaux. À marée basse, la mer se retire au loin et on peut contourner le Mont à pied. Lorsque la marée remonte, le flot envahit la baie à grande vitesse : 17 km / h.

Le niveau de l'eau

Le niveau maximal des marées est atteint au moment des marées de vive-eau, à la nouvelle lune. Ensuite, il s'abaisse chaque jour pendant environ une semaine jusqu'à la marée de morte-eau. Puis le niveau remonte jusqu'à la prochaine pleine lune pour les marées de vive-eau, et ainsi de suite.

Pour les navigateurs, il est très important de connaître l'heure des marées et leur amplitude avant de s'arrêter le long des côtes ou dans les ports.

Les marées du passé

Certaines roches portent les traces de l'action des marées. Ces traces indiquent la place qu'occupaient les océans il y a très longtemps. Le dessin ci-contre représente une plage fossile, en Italie, où la mer était présente il y a 125 000 ans !

Une usine marémotrice

C'est une usine qui utilise l'énergie des marées pour produire de l'électricité. En France, en Bretagne, une usine de ce type a été installée sur l'estuaire de la Rance où l'amplitude des marées est très forte.

La Lune et les marées

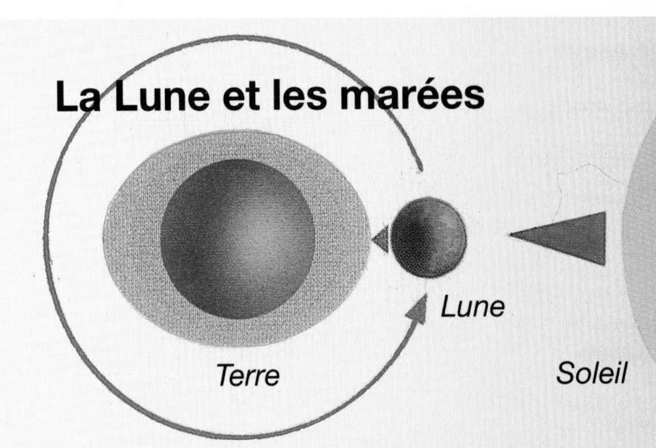

À la nouvelle lune, Soleil, Lune et Terre sont alignés. Les marées sont importantes, elles sont dites de vive-eau ou grandes marées.

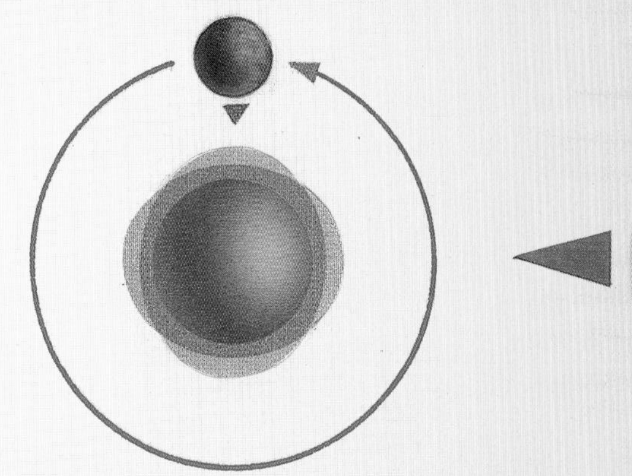

Au 1er quartier de lune, l'attraction de la Lune ne s'exerce pas dans la même direction que celle du Soleil. L'amplitude des marées est affaiblie (mortes-eaux).

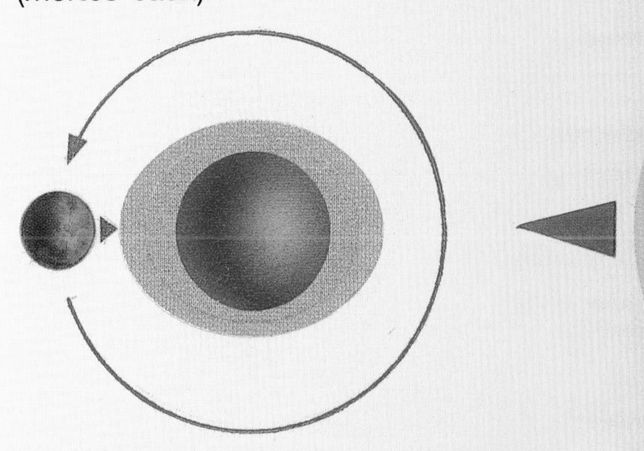

À la pleine lune, de nouveau Soleil, Lune et Terre sont alignés : ce sont les secondes marées de vive-eau du mois.

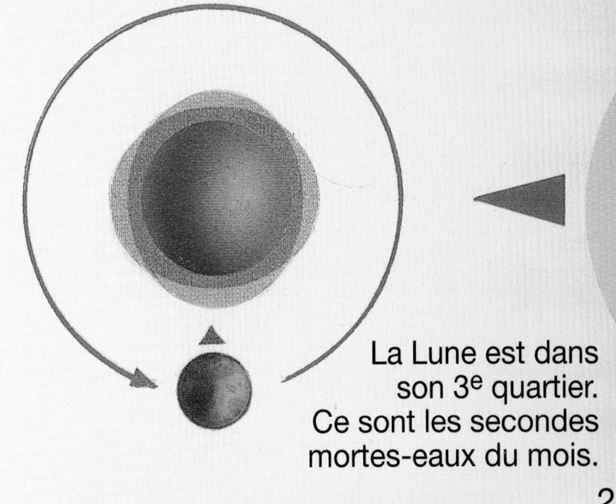

La Lune est dans son 3e quartier. Ce sont les secondes mortes-eaux du mois.

LES RICHESSES

Les poissons représentent la première richesse des océans. Mais on cultive aussi des huîtres, des moules et, dans les fermes marines, on élève maintenant des poissons (daurades et saumons), des crevettes et des algues. Certains pêcheurs recherchent de précieuses huîtres perlières, des éponges et des coraux.
Les gisements de pétrole et de gaz naturel constituent des ressources importantes. La force des marées est utilisée pour produire de l'électricité. Et, aujourd'hui, des biologistes étudient les organismes vivant dans les océans, dont ils tireront dans l'avenir des substances nouvelles pour la médecine et la pharmacie.

Les algues

Dans les océans, vivent de nombreuses espèces d'algues différentes. Certaines, comme la caulerpe, sont envahissantes et toxiques, mais d'autres, comme le kelp, une algue géante à longues « feuilles » plates, sont utilisées dans les produits de beauté, les médicaments ou même dans la pâte dentifrice.

En Asie, on cultive des algues pour les manger, et en France, on s'en sert comme plantes aromatiques.

L'exploitation du pétrole

Les fonds marins sont parfois riches en pétrole. On pratique alors des forages en haute mer. De la plate-forme de production (1), le pétrole est envoyé vers un stockage flottant (2) par des tuyaux sous-marins, les *pipe-lines*. De là, un pétrolier enleveur (3) vient prendre le pétrole pour le livrer aux réservoirs de la côte (4). Les pétroliers peuvent aborder soit à un quai de déchargement (5), soit à des bouées d'amarrage (6) d'où d'autres *pipe-lines* enverront le pétrole vers les réservoirs côtiers.

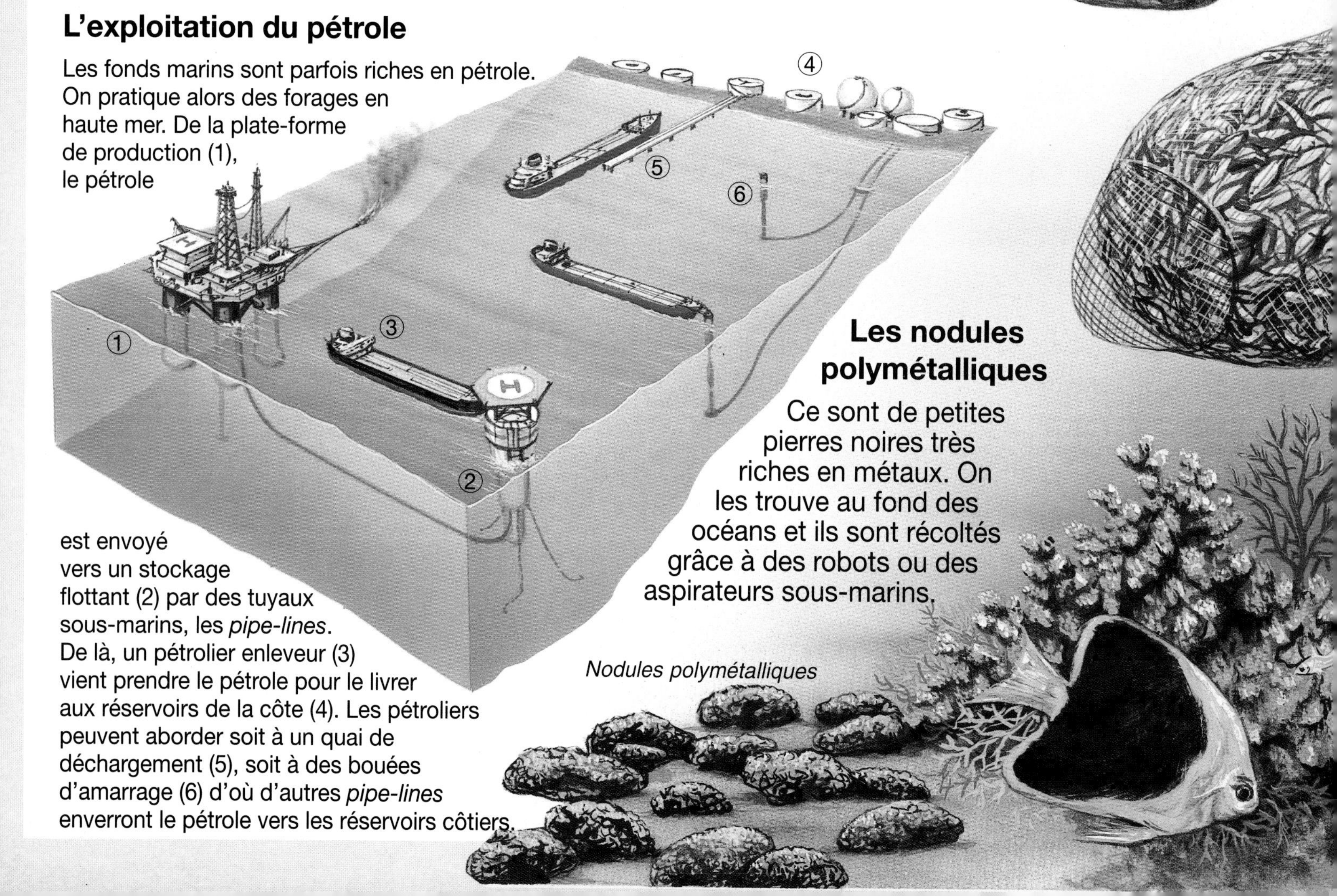

Les nodules polymétalliques

Ce sont de petites pierres noires très riches en métaux. On les trouve au fond des océans et ils sont récoltés grâce à des robots ou des aspirateurs sous-marins.

Nodules polymétalliques

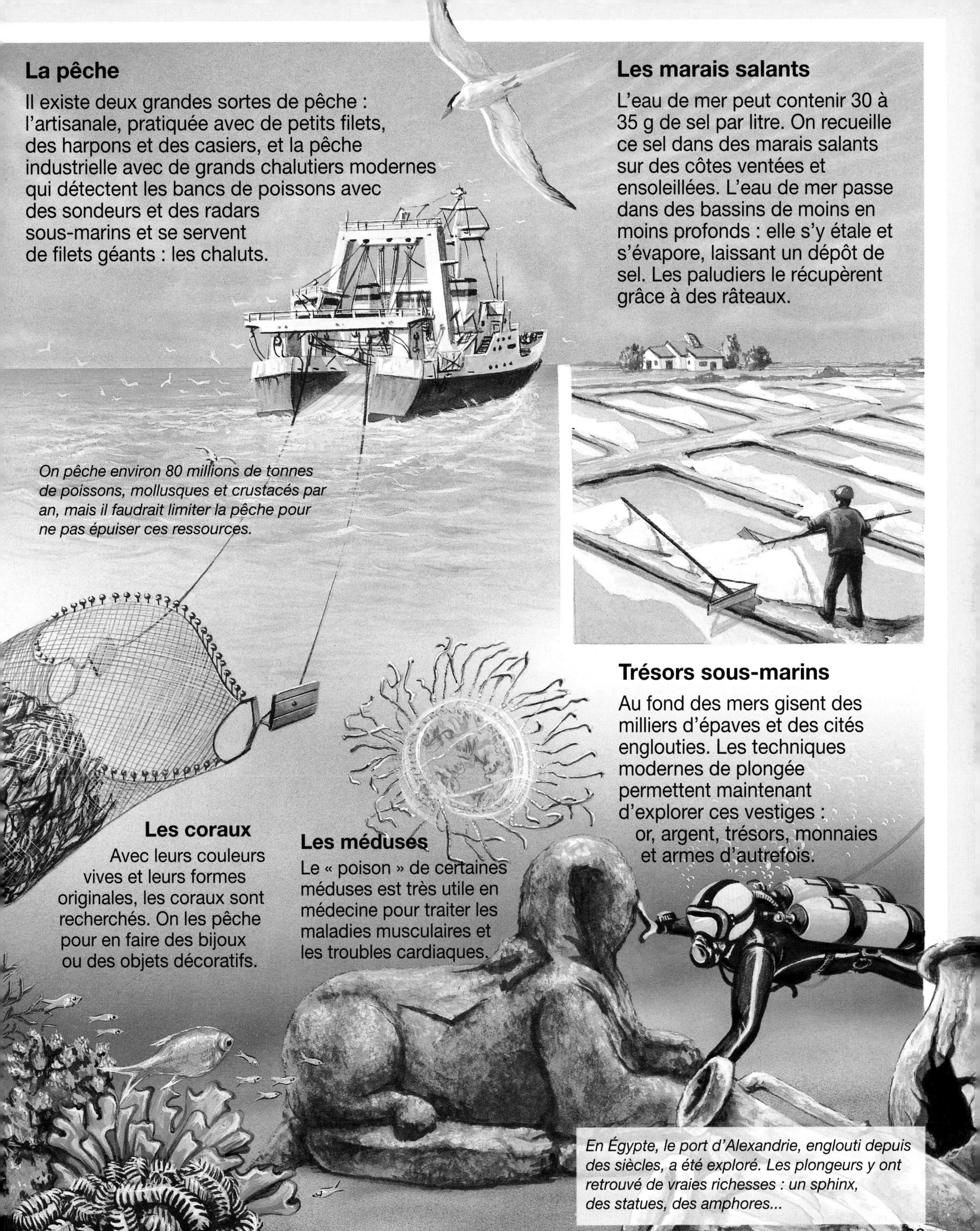

La pêche

Il existe deux grandes sortes de pêche : l'artisanale, pratiquée avec de petits filets, des harpons et des casiers, et la pêche industrielle avec de grands chalutiers modernes qui détectent les bancs de poissons avec des sondeurs et des radars sous-marins et se servent de filets géants : les chaluts.

On pêche environ 80 millions de tonnes de poissons, mollusques et crustacés par an, mais il faudrait limiter la pêche pour ne pas épuiser ces ressources.

Les marais salants

L'eau de mer peut contenir 30 à 35 g de sel par litre. On recueille ce sel dans des marais salants sur des côtes ventées et ensoleillées. L'eau de mer passe dans des bassins de moins en moins profonds : elle s'y étale et s'évapore, laissant un dépôt de sel. Les paludiers le récupèrent grâce à des râteaux.

Trésors sous-marins

Au fond des mers gisent des milliers d'épaves et des cités englouties. Les techniques modernes de plongée permettent maintenant d'explorer ces vestiges : or, argent, trésors, monnaies et armes d'autrefois.

Les coraux

Avec leurs couleurs vives et leurs formes originales, les coraux sont recherchés. On les pêche pour en faire des bijoux ou des objets décoratifs.

Les méduses

Le « poison » de certaines méduses est très utile en médecine pour traiter les maladies musculaires et les troubles cardiaques.

En Égypte, le port d'Alexandrie, englouti depuis des siècles, a été exploré. Les plongeurs y ont retrouvé de vraies richesses : un sphinx, des statues, des amphores...

LES DANGERS

Sur l'immense étendue des océans, les phénomènes météorologiques sont parfois d'une extrême violence. Dans l'océan Indien, sous les tropiques, par très forte chaleur, les vents furieux soulèvent l'air chaud et humide en un gros tourbillon : un cyclone. Il prend la forme d'un anneau qui, poussé par les vents, avance au-dessus de l'océan en déversant des trombes d'eau. Il peut parfois atteindre les côtes provoquant d'énormes dégâts. Le cyclone se nomme ouragan dans l'Atlantique et typhon dans le Pacifique. Des satellites surveillent l'arrivée des grosses tempêtes et des cyclones pour avertir les marins.

Le raz de marée ou tsunami

C'est une gigantesque vague déclenchée par un tremblement de terre ou une éruption volcanique. En haute mer on la voit à peine, mais quand elle se heurte à la côte qui la freine, l'énorme masse liquide se soulève comme une terrifiante muraille et s'abat en écrasant parfois bateaux et maisons sous son poids et sa force.

Les icebergs

Près des pôles, dans l'Atlantique Nord et dans l'océan Austral, dérivent de nombreux icebergs. Ces colosses de glace détachés de la calotte glaciaire des pôles peuvent parfois atteindre des centaines de kilomètres de long ! Seul leur sommet est visible et leur partie la plus importante se cache sous l'eau ; ce sont de redoutables pièges pour les bateaux.

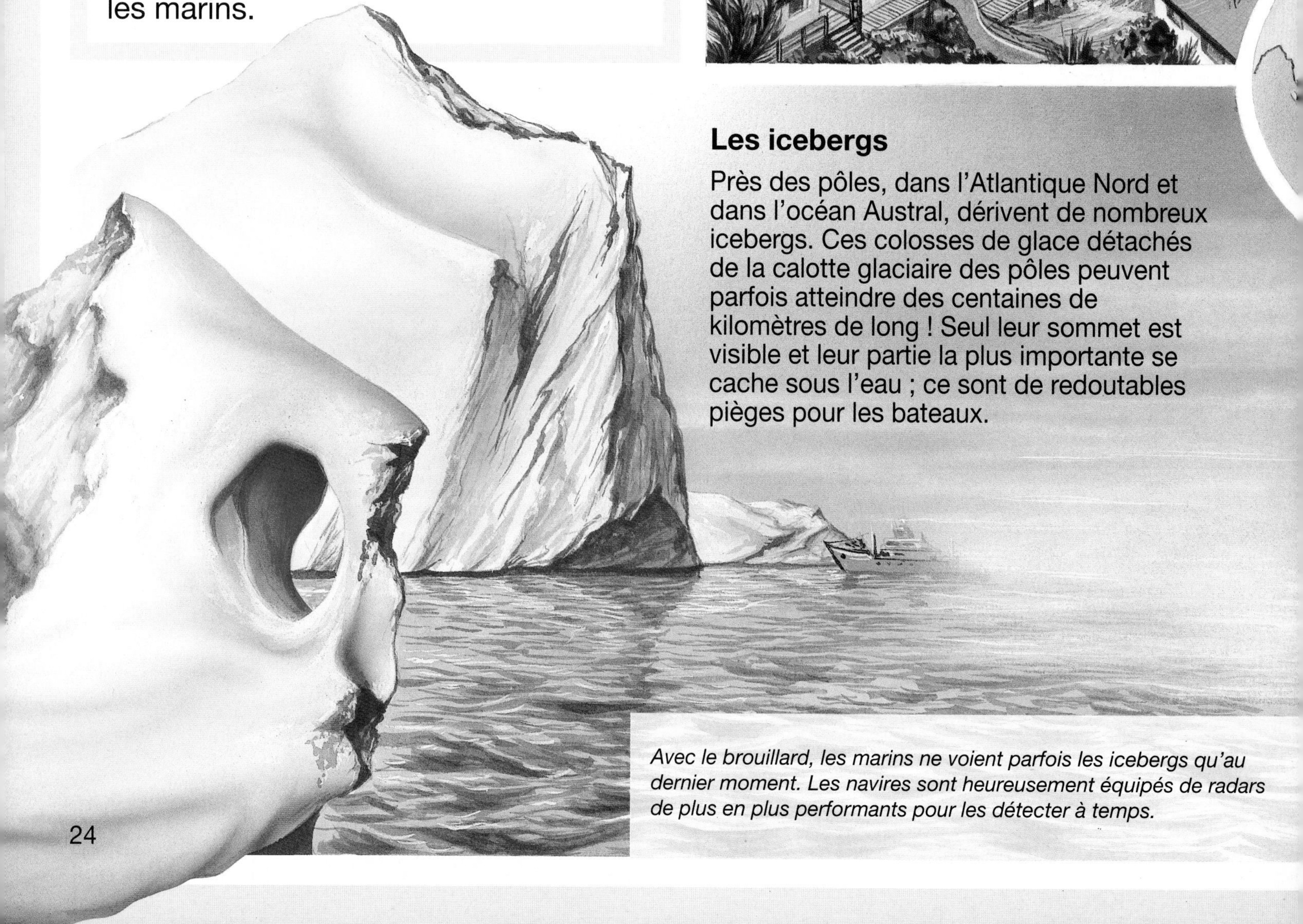

Avec le brouillard, les marins ne voient parfois les icebergs qu'au dernier moment. Les navires sont heureusement équipés de radars de plus en plus performants pour les détecter à temps.

La tempête

Quand le vent déchaîné court à plus de 100 km/h sur des milliers de kilomètres, il peut soulever d'énormes vagues de 10 à 15 m de haut. Les grosses tempêtes sont dangereuses pour les navires ; les vagues les empêchent de se diriger, il n'y a presque plus de visibilité et, parfois, les bateaux sont projetés sur des récifs !

On mesure la force du vent selon l'échelle de Beaufort qui va de 0 à 12. Un vent de force 8 devient dangereux pour les bateaux, lorsqu'il est de force 12, c'est l'ouragan garanti !

En 1960, un séisme survenu au Chili entraîne, un jour plus tard, un raz de marée au Japon, de l'autre côté du Pacifique.

Les trombes marines

Sous les tropiques, l'eau et l'air sont chauds, le temps est humide. On assiste alors parfois à un étrange phénomène : de la base des nuages, une sorte de courant d'air descend vers la surface de la mer, formant un tube. L'eau est aspirée et monte en tourbillonnant dans ce tube comme une colonne vers les nuages. Ces trombes marines ne durent que quelques minutes mais quand elles s'arrêtent, l'eau libérée retombe et peut être très dangereuse.

LA POLLUTION

L'eau de mer est riche en substances et organismes vivants (plantes et poissons) qui forment un équilibre fragile. Le développement de l'industrie et les comportements de l'homme ont troublé cet équilibre en déversant dans les eaux des produits chimiques, des déchets industriels et domestiques, sans oublier le pétrole, les expériences nucléaires et bien d'autres actions néfastes. La pollution de l'eau touche tous les maillons de la chaîne alimentaire, des plantes sous-marines jusqu'à l'homme en passant par les poissons et les coquillages. Pour freiner cette pollution, il faudrait déjà recycler les déchets et filtrer et traiter les eaux usées.

La radioactivité

Au cours des essais nucléaires sous-marins, des éléments dangereux pour les êtres vivants sont libérés dans l'océan et peuvent y rester pendant un temps considérable. On les appelle des matières radioactives.
Elles sont très nocives pour l'organisme.

Les marées noires

Lors d'une tempête, il arrive que de grands pétroliers se brisent. Ils répandent alors des milliers de tonnes de pétrole en haute mer ou, plus grave, près des côtes. Ce pétrole forme un film plus ou moins épais qui recouvre les côtes d'une couche gluante et détruit plantes, oiseaux et poissons. On lutte contre ces désastres en encerclant la nappe par des barrages flottants pour pomper le pétrole ou encore en répandant des bactéries qui mangent les molécules de pétrole.

Les volcans

Les éruptions volcaniques dégagent divers éléments toxiques qui retombent ensuite en cendres dans les rivières et l'eau de mer et les polluent. Tous les éléments marins vivants sont ainsi atteints.

Depuis peu, plusieurs pays ont décidé d'arrêter ces essais nucléaires. C'est un grand progrès.

La pollution des rivières

Les produits toxiques qui proviennent de l'industrie ou de l'agriculture sont souvent déversés dans les rivières, puis les fleuves qui mènent à l'océan. Tout au long de ce parcours, ils contaminent plantes aquatiques et poissons. L'homme, qui est au bout de la chaîne, et mange poissons et coquillages, se trouve lui aussi touché.

algues vertes

Les algues vertes

Sur les côtes, avec le tourisme, beaucoup de déchets sont rejetés en mer. Les algues vertes se nourrissent de cette pollution, et envahissent la surface de l'eau. Elles empêchent alors l'oxygène de passer : les poissons meurent étouffés.

Les égouts

La plupart des villes côtières déversent leurs égouts directement dans la mer. Dans l'eau, des substances naturelles sont capables d'éliminer une partie des éléments toxiques grâce à l'oxygène. Mais les poissons, alors privés de cet oxygène, ne peuvent plus survivre.

LES ARBRES

Texte
Agnès VANDEWIELE

Images
Linden Artists
Jane PICKERING

LA VIE DE L'ARBRE

L'arbre vit, grandit et se développe grâce à la sève, un liquide sucré qui circule dans ses racines, son tronc, ses branches et ses feuilles.
Les feuilles aspirent le gaz carbonique de l'air. De leur côté, les racines pompent dans le sol l'eau et les sels minéraux, qui montent jusqu'aux extrémités des feuilles.
Là, grâce à la lumière, la chlorophylle transforme l'eau, le gaz carbonique et les sels minéraux en sève qui va nourrir l'arbre. C'est la sève qui produit le bois nouveau, les fleurs, les fruits, les feuilles et les racines.
Quand la sève ne circule plus, l'arbre meurt.

Les bourgeons éclosent au printemps.

Les bourgeons

C'est par les bourgeons que l'arbre grandit.
Les bourgeons contiennent déjà de nouvelles pousses, des feuilles et parfois des fleurs. Les petites feuilles sont repliées les unes contre les autres et protégées par des écailles.

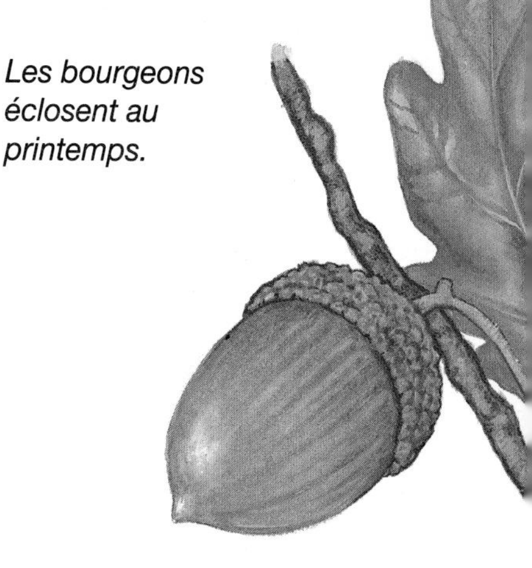

Les fruits

Vers 50 ans, le chêne commence à porter des fleurs. Grâce au pollen que le vent dépose sur les fleurs, celles-ci vont se transformer en fruits : les glands.
À l'automne, les glands tombent.

Du gland au chêne

À l'automne, les glands du chêne tombent sur le sol.
À l'intérieur du gland se trouve une graine.
Au printemps, cette graine se met à germer.
Elle absorbe de l'eau et se gonfle.
L'enveloppe s'ouvre et une petite racine apparaît (1).
Une tige se développe et grandit (2 et 3), puis produit des feuilles (4). Cet arbre miniature va continuer sa croissance (5), les branches vont se former, un minuscule « tronc » en bois va apparaître.
Chaque année, de nouveaux bourgeons apparaissent et forment de nouveaux rameaux.

Pour grandir, le jeune chêne a besoin de lumière. S'il pousse à l'ombre de grands arbres, il mourra très vite.

Les premières feuilles apparaissent très rapidement.

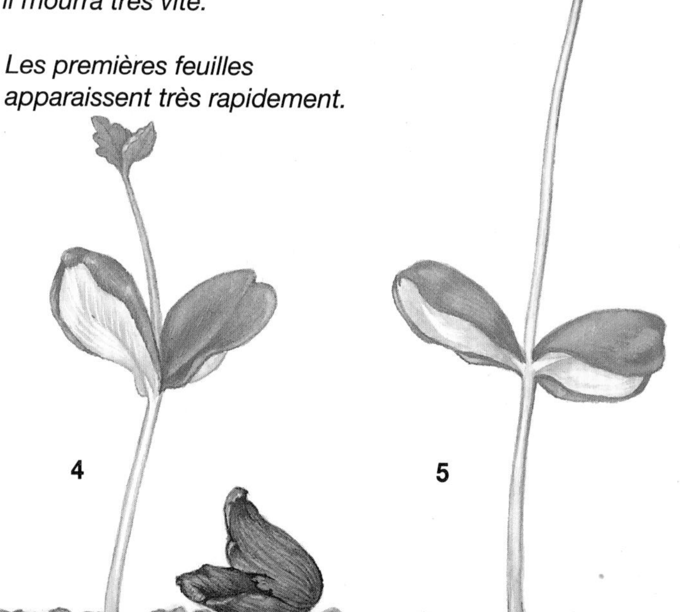

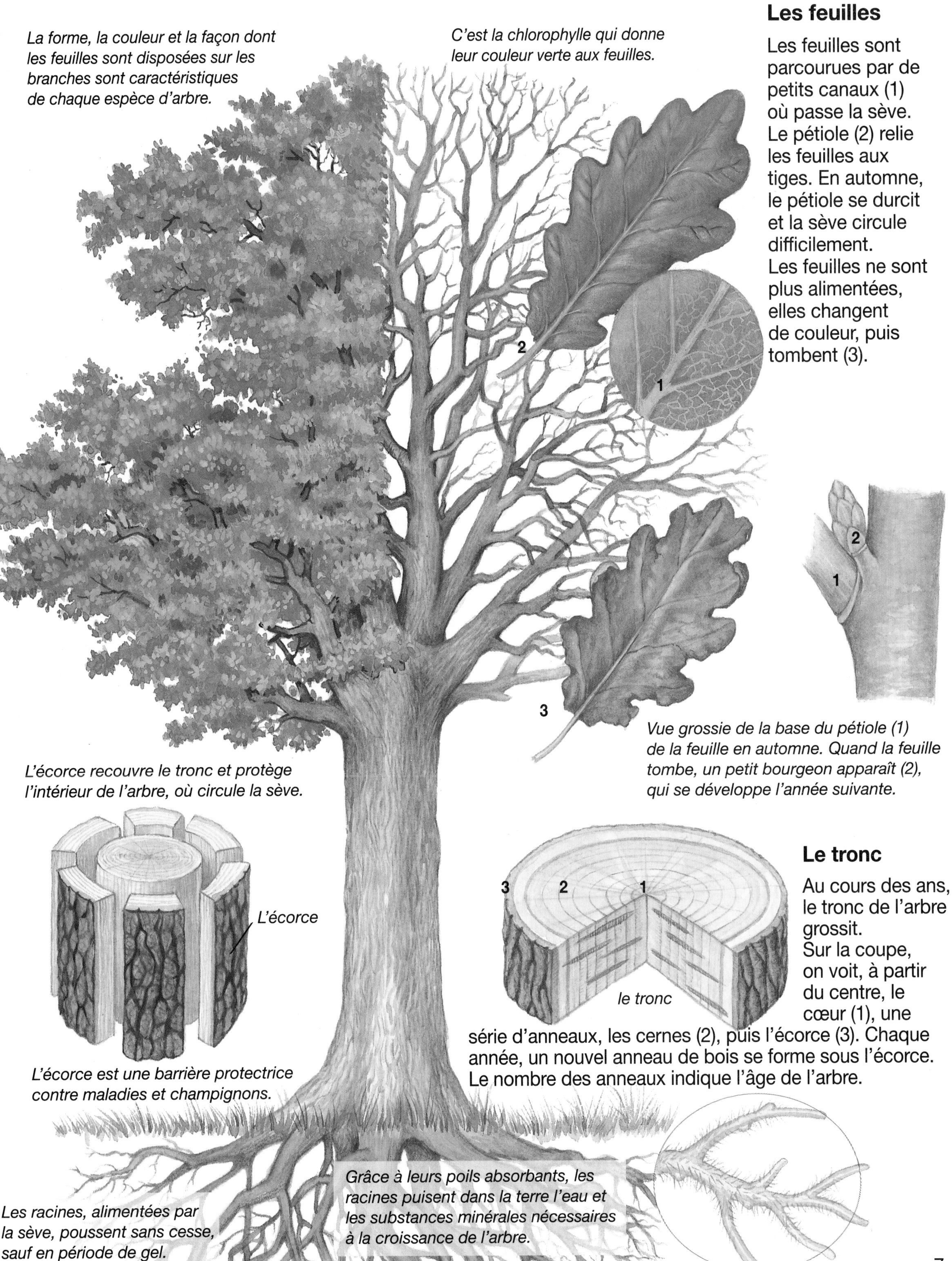

La forme, la couleur et la façon dont les feuilles sont disposées sur les branches sont caractéristiques de chaque espèce d'arbre.

C'est la chlorophylle qui donne leur couleur verte aux feuilles.

Les feuilles

Les feuilles sont parcourues par de petits canaux (1) où passe la sève. Le pétiole (2) relie les feuilles aux tiges. En automne, le pétiole se durcit et la sève circule difficilement.
Les feuilles ne sont plus alimentées, elles changent de couleur, puis tombent (3).

Vue grossie de la base du pétiole (1) de la feuille en automne. Quand la feuille tombe, un petit bourgeon apparaît (2), qui se développe l'année suivante.

L'écorce recouvre le tronc et protège l'intérieur de l'arbre, où circule la sève.

L'écorce est une barrière protectrice contre maladies et champignons.

Le tronc

Au cours des ans, le tronc de l'arbre grossit.
Sur la coupe, on voit, à partir du centre, le cœur (1), une série d'anneaux, les cernes (2), puis l'écorce (3). Chaque année, un nouvel anneau de bois se forme sous l'écorce. Le nombre des anneaux indique l'âge de l'arbre.

Grâce à leurs poils absorbants, les racines puisent dans la terre l'eau et les substances minérales nécessaires à la croissance de l'arbre.

Les racines, alimentées par la sève, poussent sans cesse, sauf en période de gel.

LES GRANDES FAMILLES D'ARBRES

Les grands groupes d'arbres sont : les conifères, les feuillus et les palmiers. Les conifères ont des feuilles étroites en forme d'aiguilles ou de petites écailles. Les conifères sont toujours verts : leurs feuilles ne tombent qu'au bout de plusieurs années, et pas toutes en même temps. Seuls quelques conifères, comme le mélèze, perdent leurs aiguilles. Les feuillus ont des feuilles larges et plates, de formes très variées. Les palmiers sont très différents des conifères et des feuillus : leur tronc ne grossit pas et il ne pousse que vers le haut.

LES FEUILLUS

Les feuilles des feuillus changent de couleur en automne, puis tombent pour que l'arbre économise son énergie et puisse résister au froid de l'hiver. Mais quelques feuillus, comme le rhododendron, le houx ou le chêne vert, conservent leur feuillage toute l'année. Tous les feuillus produisent des fleurs qui, après pollinisation, donnent des graines. Ces graines sont enfermées dans un fruit ou dans une coque dure.

LES CONIFÈRES

Les conifères peuvent pousser dans des régions froides, car leurs aiguilles ou écailles sont dures et ne se dessèchent pas. Elles restent en place trois ou quatre ans. Les branches des conifères sont flexibles, ce qui permet à la neige de glisser sur elles sans les casser. Les graines des conifères ne sont pas enfermées dans un fruit comme celles des feuillus, mais protégées par un cône. Quand il fait chaud, les cônes s'ouvrent et les graines qu'ils contenaient s'envolent. Chez certains conifères, comme l'if ou le genévrier, les cônes ressemblent à des baies.

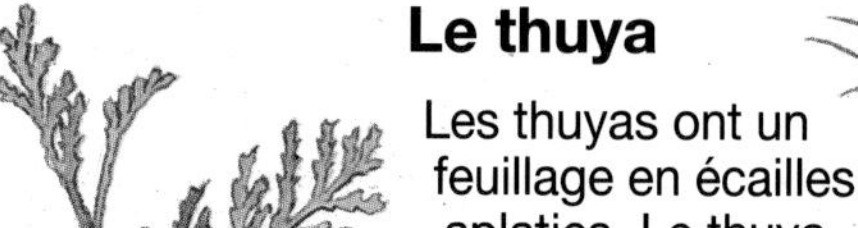

Le thuya

Les thuyas ont un feuillage en écailles aplaties. Le thuya géant, qui pousse en Amérique du Nord, peut atteindre 45 à 60 m. Son feuillage jaune-vert est très odorant. Il peut vivre entre 300 et 700 ans.

Le mélèze

Les aiguilles du mélèze, disposées en bouquets le long de la tige, sont vert clair et longues de 1,5 à 3 cm. Ce conifère peut pousser dans des climats très froids.

Le sapin

Le sapin a des aiguilles courtes et aplaties. Le sapin pectiné peut vivre jusqu'à 600 ans et atteindre 60 m de hauteur. Ses cônes sont dressés, ils ne tombent pas, mais se défont écaille par écaille.

Le magnolia

Les magnolias poussent à l'état sauvage en Amérique du Nord et en Asie orientale. En Europe, ce sont des arbres d'ornement. Les feuilles de certains magnolias peuvent mesurer 30 cm. De grandes fleurs s'épanouissent en avril.

Le saule

Les feuilles du saule sont longues et étroites et recouvertes sur une ou deux faces de longs poils blancs soyeux. Le saule blanc, mesurant entre 25 et 30 m, pousse dans toute l'Europe, le long des cours d'eau.

Le châtaignier

Ses feuilles vert sombre sont découpées en dents de scie. Ses fruits, les bogues, recouverts d'épines, s'ouvrent à l'automne pour libérer une à trois châtaignes. Le châtaignier mesure entre 25 et 35 m.

Le bouleau

L'écorce de son tronc est blanche et se détache en fines lamelles. Le bouleau a des chatons pendants. À maturité, ils s'envolent en minuscules particules qui nourrissent les semences.

Le platane

Les feuilles de platane, qui mesurent 20 cm environ, ont cinq lobes.

Le marronnier

Ce grand arbre de 20 à 25 m a des feuilles palmées mesurant 20 à 25 cm. Il fleurit en mai. Son fruit épineux s'ouvre à l'automne et contient des marrons qui servent de nourriture aux cerfs et aux sangliers.

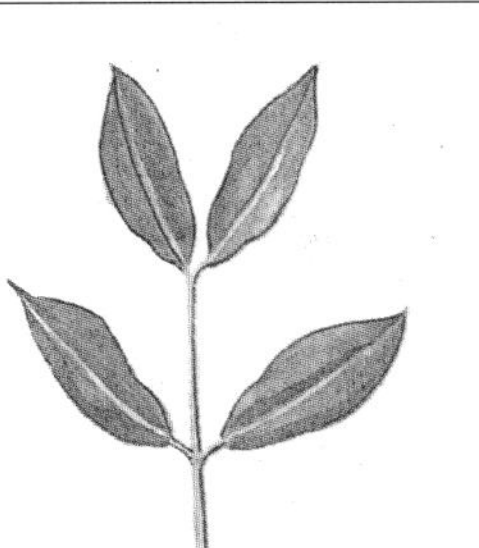

feuilles opposées *feuilles alternées*

Les feuilles des feuillus sont disposées sur la tige de deux façons : elles sont soit opposées, soit alternées.

LES PALMIERS

Les feuilles des palmiers sont, selon les espèces, soit en forme d'éventails (1-2), soit en forme de plumes (3). Dans de nombreuses espèces, les feuilles sont rassemblées en bouquets au sommet de l'arbre. Comme les conifères et les feuillus, les palmiers ont des fruits. Le palmier-dattier donne des dattes, le cocotier des noix de coco. Avec les longues feuilles et les fibres du palmier-dattier, on fait des toitures, des paniers et des nattes.

Le pin

Les longues aiguilles des pins sont enduites d'une couche de cire qui retient l'humidité, ce qui permet à ces arbres de pousser dans des endroits secs ou froids.

Il existe environ 3 000 espèces de palmiers dans le monde. La plupart poussent sous les tropiques ou dans les régions tempérées chaudes. Ce sont les seuls arbres des oasis du désert. Leur tronc grandit grâce à un unique bourgeon situé au centre de leur couronne. Si ce bourgeon est détruit, le palmier se flétrit et meurt. Le tronc des palmiers, appelé stipe, n'a pas d'écorce. Il est protégé par des fibres très solides.

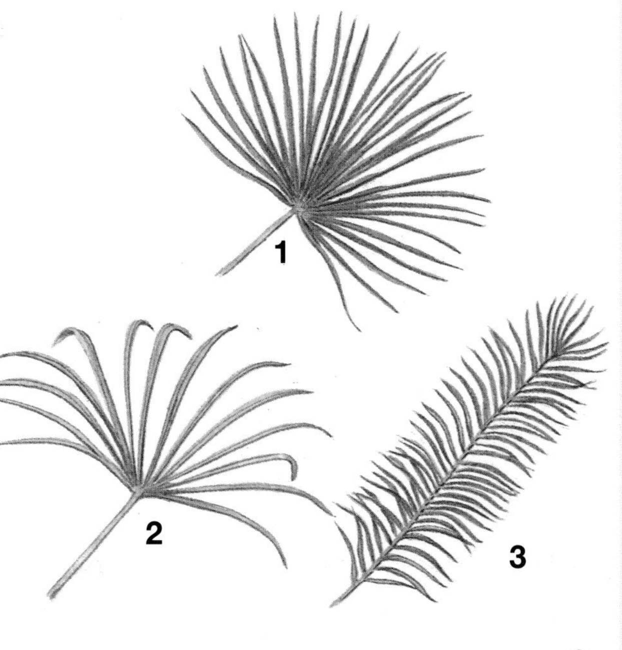

Les cônes

Les conifères portent des cônes. Les cônes mâles produisent le pollen, les cônes femelles ont des graines entre leurs écailles. Selon les espèces, ces cônes ont des tailles et des formes très diverses. Les écailles peuvent être écartées (1) ou resserrées (2) ; de forme allongée (3) ou en boule (4). Certains cônes ne mesurent que quelques centimètres, tandis que les cônes géants du pin à sucre des États-Unis atteignent 60 cm.

L'APPARITION DE LA FORÊT

Les premières plantes terrestres sont apparues il y a 395 à 345 millions d'années. Elles forment les premiers paysages végétaux. C'est à l'ère primaire que l'on rencontre les premières forêts. Quand ces forêts ont disparu, leurs restes végétaux ont donné des gisements de houille. On connaît les plantes de cette époque grâce aux fossiles retrouvés dans ces couches de charbon. Les conifères se sont développés pendant l'ère secondaire, puis sont apparus les feuillus. Il y a 140 à 65 millions d'années, tous les groupes végétaux d'aujourd'hui présents existaient déjà.

La forêt de l'ère primaire

À l'époque du carbonifère (345 à 280 millions d'années) apparaissent les premières forêts. Le climat chaud et humide, riche en gaz carbonique fait naître une flore diversifiée. Les fougères géantes tapissent le sol des forêts et des prêles de 20 à 30 m forment de grands massifs. Le paysage ressemble à celui des mangroves tropicales.

La forêt de l'ère tertiaire

L'ère tertiaire est marquée par le développement des mammifères, une grande diversification des oiseaux et une évolution de la végétation. Sous les climats chauds, les forêts abritent séquoias et palmiers. Ailleurs, on trouve des forêts de feuillus, avec de grands mammifères, les ancêtres du cheval, et de nombreuses espèces d'oiseaux. On voit aussi se multiplier les plantes à fleurs, comme les magnolias et les forsythias. Pendant la seconde partie du tertiaire, des changements climatiques ont lieu. La faune et la flore reculent vers le sud et laissent place à des forêts de chênes, d'érables, de hêtres et de conifères.

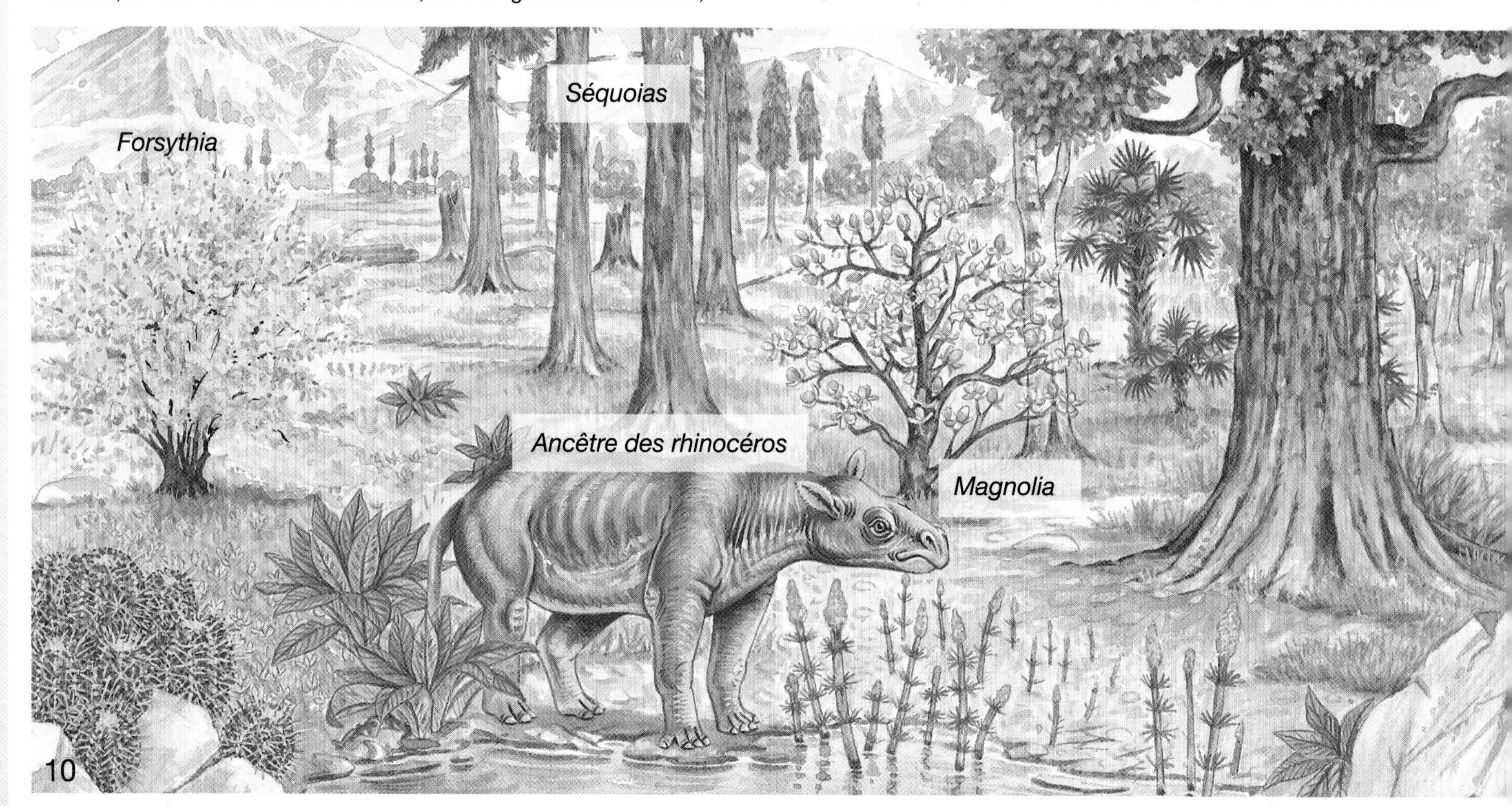

a forêt de l'ère secondaire

ère secondaire voit le développement des conifères, puis l'apparition
s premiers feuillus. Sur Terre, c'est le règne des grands reptiles.
 jurassique (195 à 135 millions d'années), les dinosaures règnent
 maîtres. Certains sont carnivores, d'autres herbivores, comme
l'immense diplodocus, long de plus de 30 m. À cette époque, 10 000 espèces de conifères peuplent la terre. On y trouve déjà les ancêtres des séquoias, des thuyas, des cyprès, des pins et des ifs. Les premiers oiseaux apparaissent. L'archéoptéryx est le plus ancien oiseau connu.

a forêt de l'ère quaternaire

 quaternaire, cinq glaciations alternent avec des périodes plus
audes. Elles ont une grande influence sur les espèces végétales.
s arbres, comme le bouleau, le pin et le saule, résistent aux
aciations et se fixent dans toute l'Europe. Pendant les périodes
froides vivent des animaux comme le mammouth, le rhinocéros laineux et l'ours des cavernes. L'homme de Neandertal (de 100 000 à 35 000 ans) chasse l'ours et le mammouth. C'est dans les forêts que les hommes trouvent leur nourriture en pratiquant chasse et cueillette. Plus tard, ils déboiseront les forêts pour cultiver le sol.

LA FORÊT TEMPÉRÉE

Les forêts tempérées couvrent 800 millions d'hectares, soit plus de 14 fois la surface de la France. Elles sont présentes sur tous les continents, mais la plupart sont dans l'hémisphère Nord. La forêt tempérée est rythmée par quatre saisons très contrastées. Les feuillus dominent : chênes, hêtres, frênes, merisiers, charmes, érables. On trouve aussi de nombreux arbustes (noisetiers, chèvrefeuilles) et végétaux (fougères, lierres, mousses, lichens).
Aux feuillus se mêlent également des résineux : sapins, pins, épicéas, qui poussent là où le sol est moins riche. Les forêts tempérées abritent une faune variée.

LES QUATRE SAISONS

C'est le réveil de la nature. Les bourgeons s'ouvrent et de petites feuilles vert tendre apparaissent sur les feuillus.
De nombreuses fleurs tapissent le sol des forêts. On entend le coucou chanter.

La vie dans la forêt

De nombreux animaux vivent dans la forêt tempérée. On y rencontre des mammifères : cerfs, chevreuils, sangliers, renards. Le cerf a de splendides bois qui tombent puis repoussent chaque année. Le chevreuil, plus petit, est très gracieux et se plaît dans les taillis. Quant au sanglier, il fouille le sol avec son groin pour chercher glands, faines et vers. Certains animaux, comme le blaireau et la chouette, sont nocturnes. Ils sortent la nuit pour trouver leur nourriture.
Dans les arbres habitent de nombreux oiseaux.
Sur le sol, qui est riche, vit une multitude de petites bêtes : escargots, fourmis...

'épais feuillage des arbres ne laisse ntrer qu'une partie de la lumière. es baies, comme les myrtilles, nûrissent. La forêt est remplie 'insectes, abeilles et bourdons utinent les fleurs.

Les feuilles des arbres changent de couleur et deviennent rouges, jaunes et pourpres. Les champignons sont nombreux et les premières feuilles commencent à tomber.

La forêt est dénudée, la majorité des arbres ont perdu leurs feuilles. Certains animaux hibernent, comme le hérisson et le loir. Les oiseaux ont du mal à trouver leur nourriture, car les graines sont enfouies dans la neige et les feuilles.

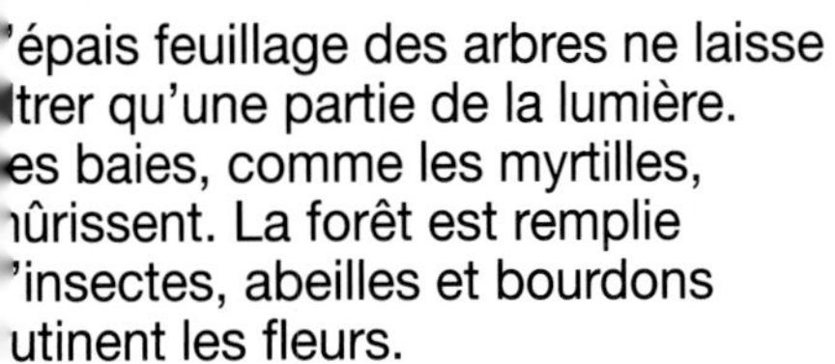

LA FORÊT DE MONTAGNE

Tout en bas de la montagne croît la forêt tempérée de feuillus. Au-dessus, c'est l'étage montagnard (de 900 à 1 600 m), avec des forêts où se mêlent feuillus et résineux. C'est le domaine de l'ours brun. Vient ensuite l'étage subalpin (de 1 600 à 2 100 m), avec des forêts de résineux (mélèzes, pins cembros, épicéas, pins à crochets) qui peuvent résister aux rudes conditions climatiques. Ici commence le domaine des marmottes, qui s'étend à l'étage alpin (de 2 100 à 3 000 m). Là, la forêt se raréfie et laisse place aux pelouses alpines, fréquentées par les chamois.

Sapin

Le sapin

C'est le plus grand arbre d'Europe : il peut mesurer 50 m. Il aime les sols humides mais craint le gel. En hiver, ses branches souples lui permettent de retenir la neige.

Pin à crochets

Le cembro

Très résistant au gel et aux chutes de neige, il peut pousser jusqu'à 2 400 m d'altitude.

Pin cembro

Le chardon bleu

On le trouve dans les prés et les pelouses rocailleuses situés entre 1 000 et 1 500 m d'altitude.

Chardon bleu

Le hêtre se plaît dans les endroits frais et humides, à côté des sapins. On appelle ses fruits des faines. Il peut mesurer une trentaine de mètres.

Hêtre

L'ours brun se nourrit surtout de fruits, de racines et de champignons. Il hiberne pendant l'hiver, mais se réveille de temps en temps pour manger.

Ours brun

Mélèze

Le mélèze est le seul résineux qui perd ses aiguilles en automne. Il peut mesurer jusqu'à 35 m.

Blaireau

L'écureuil

Il bâtit son nid dans les hautes branches des conifères et se nourrit de noix, de fruits et de champignons.

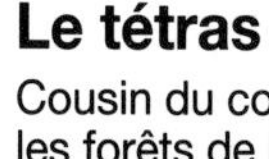

Le tétras

Cousin du coq domestique, il aime les forêts de hêtres et de sapins. On le trouve jusqu'à 2 300 m d'altitude.

Écureuil

Tétras

Les fleurs

On rencontre les colchiques dans les pâturages. Ses fleurs apparaissent avant les feuilles. À l'automne, les églantines portent des fruits rouges. Les géraniums poussent à environ 2 000 m d'altitude.

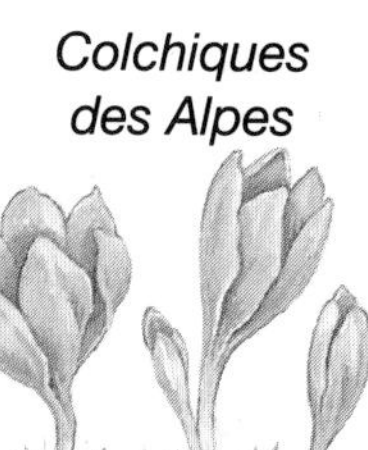

Colchiques des Alpes

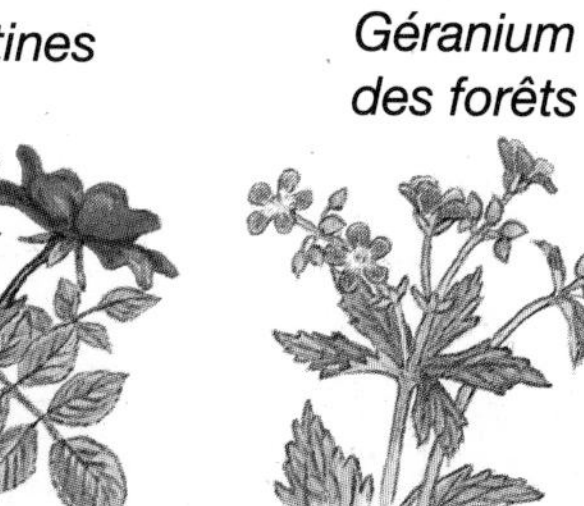

Églantines

Géranium des forêts

e pin
crochets

ı l'appelle ainsi
r ses cônes
nt couverts
crochets.
ésiste bien
gel et
vent.
ɔeut
eindre
m.

La marmotte

Elle vit dans les prairies. L'été, elle se gave d'herbe et de racines pour se constituer des réserves de graisse. Elle hiberne tout l'hiver et ne se réveille qu'au printemps.

Marmotte

Le bouquetin

Cet animal agile peut tenir en équilibre sur des pitons rocheux grâce à ses sabots bien adaptés. Plus les cornes du mâle sont longues, plus il est âgé.

Bouquetin

Le chamois

Il a des sabots antidérapants qui lui permettent d'escalader les pentes escarpées et enneigées. L'hiver, il se réfugie dans les forêts.

Chamois

La gentiane pousse au ras du sol pour se protéger du vent. Ses feuilles épaisses retiennent l'humidité et l'empêchent de se dessécher. Sa couleur vive attire les insectes.

La campanule des Alpes, en forme de cloche, éclôt en juillet-août. Elle vit dans les éboulis, au-dessus de 1 500 m.

Gentiane

Campanule des Alpes

.e blaireau

fouille le sol avec
on nez, appelé blair,
pour trouver
sa nourriture.

LES FORÊTS TROPICALES

Elles sont situées de part et d'autre de l'équateur, en Amérique (bassin de l'Amazone), en Afrique (bassin du Congo) et dans le Sud-Est asiatique (Malaisie, Indonésie, Nouvelle-Guinée). Ces forêts denses et toujours vertes poussent dans des pays où il pleut et fait chaud toute l'année. Ce sont les forêts les plus riches du monde en espèces végétales et animales. Dans ces forêts où il n'y a pas de saison, la végétation n'est jamais au repos, les plantes poussent tout le temps fabriquant sans cesse des fleurs et des fruits. Ces forêts abriteraient les trois quarts des espèces vivant sur terre.

Boa émeraude
Pour capter un peu de lumière, beaucoup de plantes quittent le sol et s'accrochent aux troncs. C'est le cas des fougères et des orchidées, mais aussi des lianes qui s'enroulent autour des arbres et peuvent atteindre 200 m de long.
Jaguar

LA FORÊT TROPICALE D'AFRIQUE

Calao
Papillon
Pangolin
Les arbres des forêts tropicales sont des géants qui atteignent souvent 50 m de haut. Ils possèdent de minuscules racines qui s'enfoncent seulement de quelques dizaines de centimètres dans la terre.
Chimpanzé
Okapi
Perroquet
Gorille

LA FORÊT AMAZONIENNE

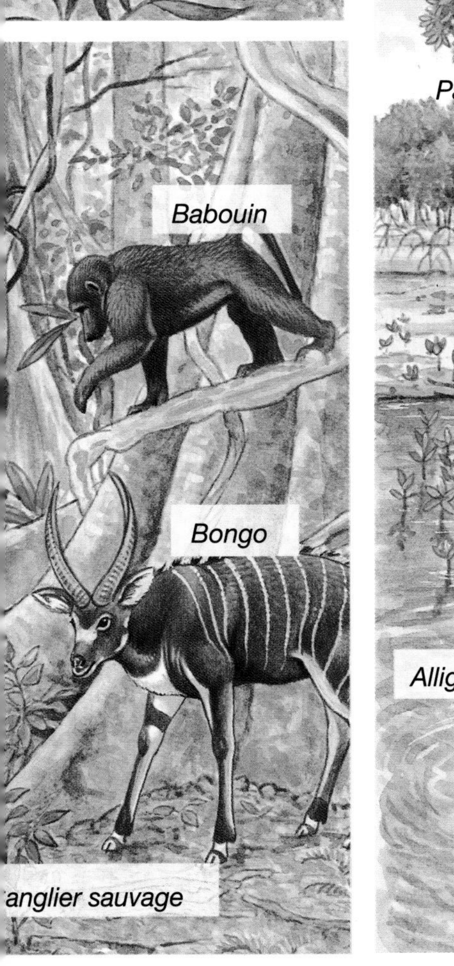

LA MANGROVE

Cette forêt tropicale des régions marécageuses est constituée d'arbres dont les racines, qui sortent de l'eau pour capter l'oxygène indispensable à la vie de l'arbre, ressemblent à des échasses.
Les palétuviers, les cyprès chauves et les banians poussent dans les mangroves

LA FORÊT CANADIENNE

La forêt couvre environ un tiers du Canada. Plus on remonte vers le pôle Nord, moins il y a d'arbres : dans la toundra canadienne ne poussent que des bouleaux nains, de la bruyère, des mousses et des lichens qui peuvent supporter les froids glacials du Grand Nord. La forêt apporte d'importantes ressources au pays : les conifères servent à la construction et à la fabrication de pâte à papier. Le bois est souvent acheminé par flottage sur les rivières. À l'origine, seuls les Indiens habitaient les forêts canadiennes. Puis sont venus les trappeurs qui firent le commerce des animaux à fourrure.

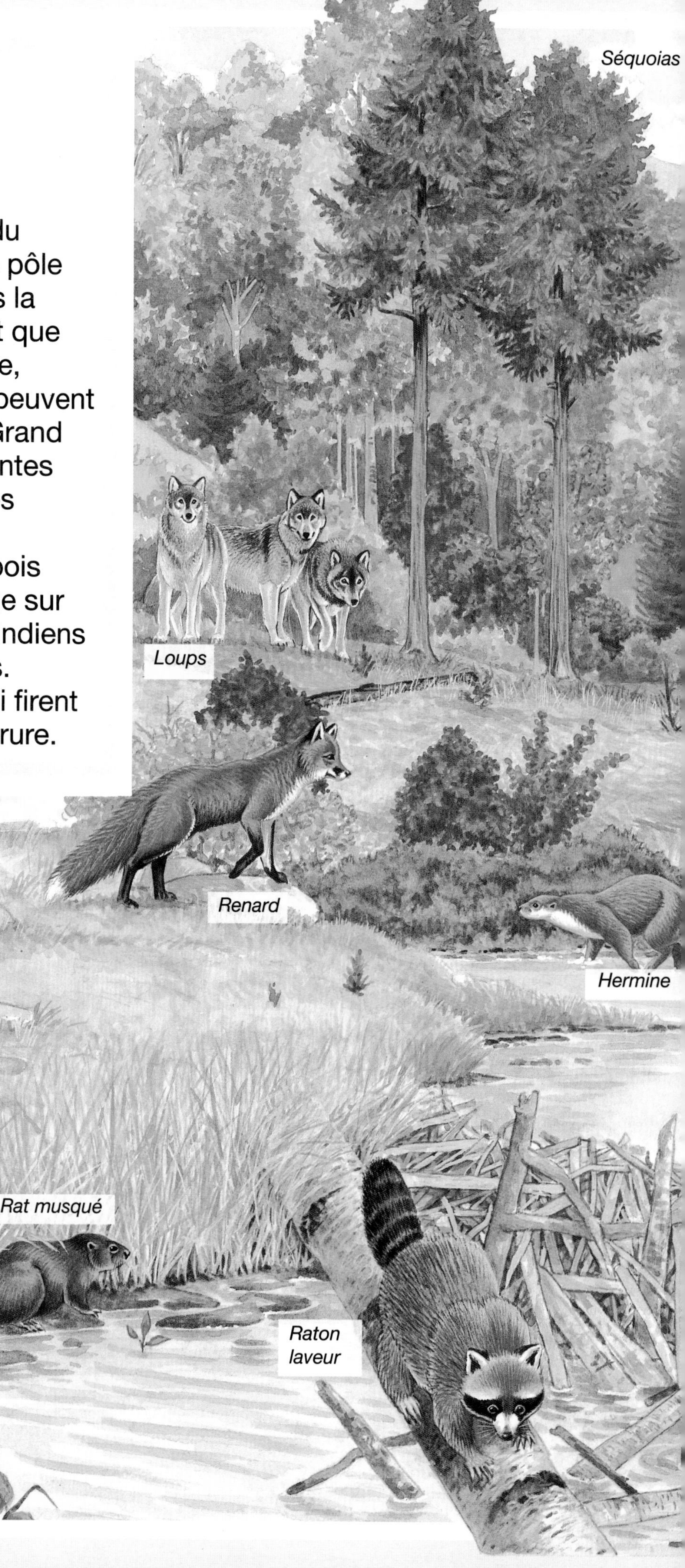

La forêt boréale canadienne est riche en conifères comme le mélèze, le sapin, l'épicéa et le séquoia. S'y mêlent quelques feuillus, comme l'érable ou le hêtre d'Amérique, qui donnent des couleurs rouges et fauves à la forêt en automne.

L'HOMME ET LA FORÊT

L'homme s'est toujours servi du bois pour se chauffer, cuire ses aliments et bâtir des maisons. Aujourd'hui, le bois est la matière première d'une importante industrie, celle du papier. Les scieries produisent les bois de charpente (à partir d'épicéas, mélèzes, chênes, pins et sapins) et de menuiserie pour portes, fenêtres, escaliers. Le chêne, le merisier et les bois exotiques (ébène, acajou, teck) servent à faire des meubles. Les grands pays producteurs de papier et de carton sont les États-Unis, le Canada, les pays scandinaves et la France.

L'abattage des arbres

Les bûcherons coupaient autrefois les arbres avec une hache, puis une tronçonneuse. De nos jours, dans les grandes forêts, ils utilisent une abatteuse mécanique. Celle-ci saisit et coupe les arbres qui ont été marqués. Une abatteuse peut couper 3 000 arbres en 24 heures. Un tracteur forestier transporte les troncs abattus au bord d'une route.

Les rondins

En coupant de grosses branches, on obtient des rondins, destinés à la pâte à papier. On les fait tourner dans d'énormes tambours pour enlever leur écorce. Lavés et réduits en copeaux, ils alimenteront l'usine de pâte à papier.

La pâte à papier

Les bois utilisés pour la pâte sont les rondins et les chutes de scierie. Le bois est composé de fibres collées entre elles par la lignine, une colle naturelle. Dans les usines de pâte à papier, on enlève, par des procédés mécaniques ou chimiques, cette lignine. Les fibres de cellulose restantes forment la pâte à papier.

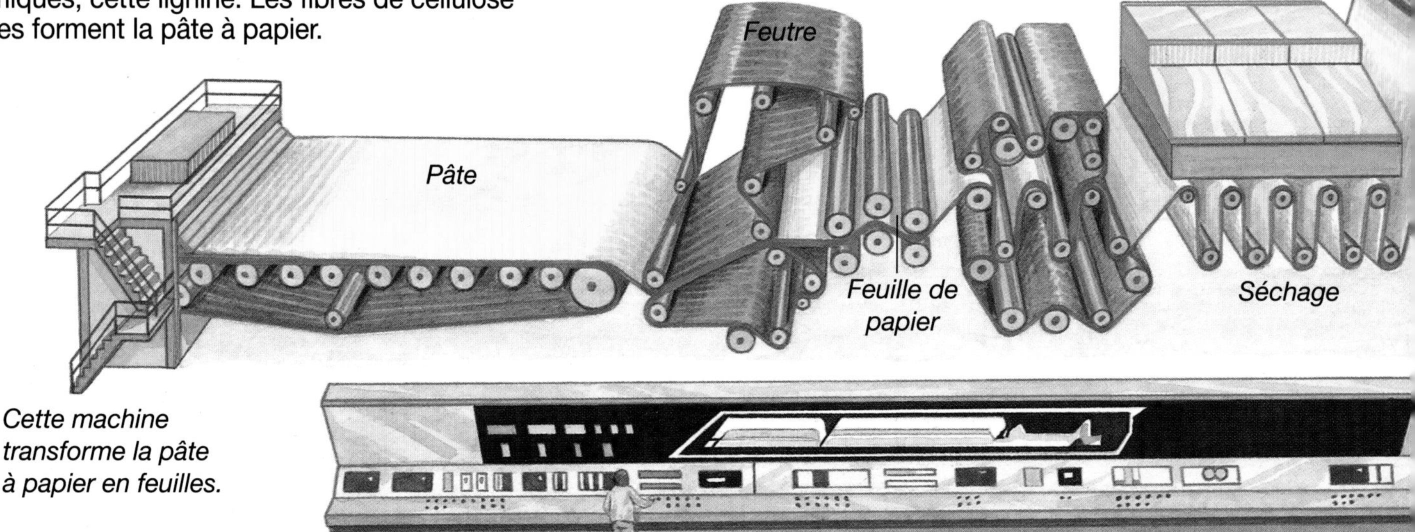

Cette machine transforme la pâte à papier en feuilles.

Du bois à la feuille de papier

La pâte à papier doit être transformée en feuilles. Pour cela, on enlève peu à peu l'eau contenue dans la pâte, puis on la lamine (on l'aplatit). La pâte, blanchie, est étalée sur une toile perforée où elle s'égoutte. Puis la pâte est pressée en passant sur un jeu de rouleaux et de feutres absorbants. Les feuilles obtenues passent alors sur des rouleaux chauffants et sont revêtues d'une couche d'amidon. Enfin, elles sont laminées en passant entre d'autres rouleaux : les calandres. Les feuilles de papier sont ensuite enroulées en énormes bobines de 30 tonnes. ..

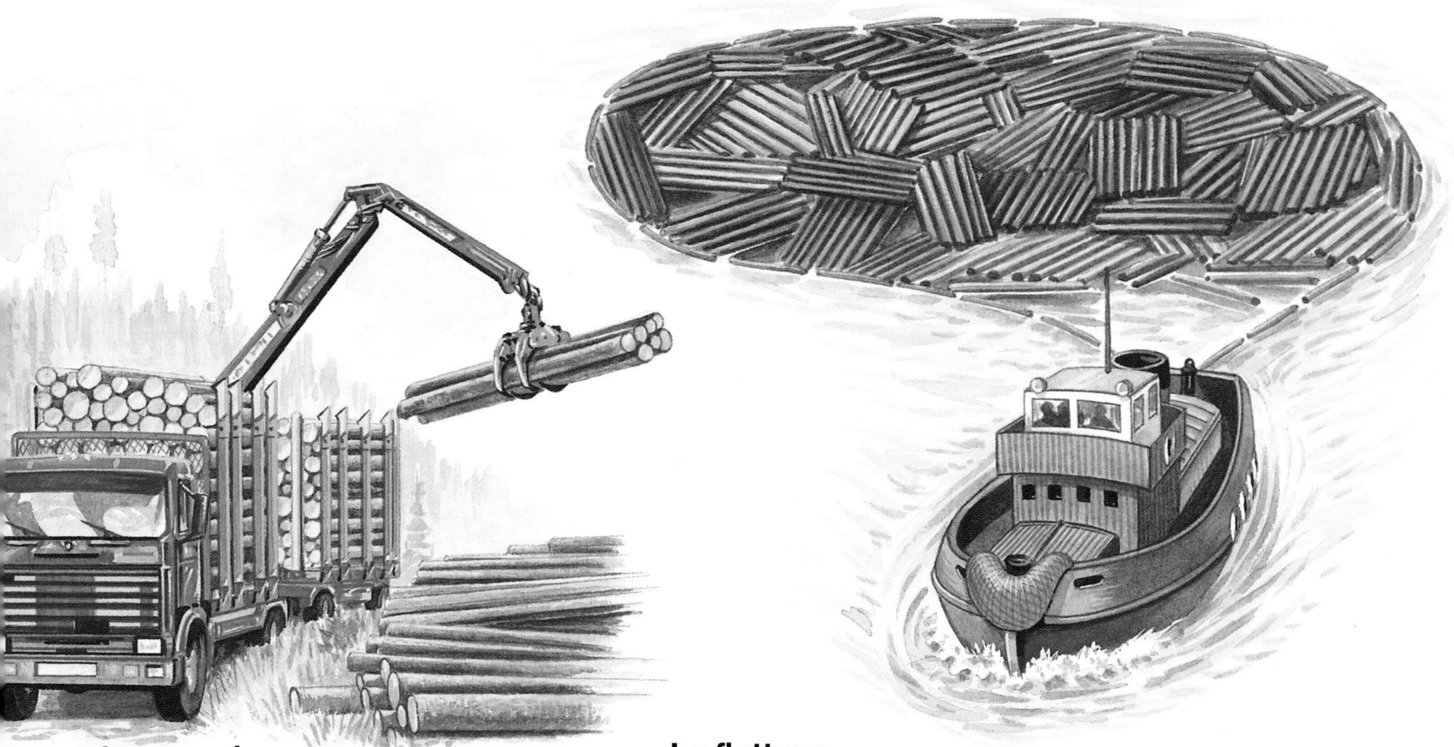

e camion grumier

Jn camion vient prendre les grumes (troncs débarrassés de leurs branches) déposées sur aire d'attente. Une grue les soulève et les place entre les montants du camion qui les transportera à la scierie.

Le flottage

On peut aussi transporter les grumes par flottage, là où il y a de grands fleuves, comme au Canada. Les grumes liées, en paquets, sont jetées dans l'eau et le courant les emporte vers les scieries. Ces troncs flottant librement présentent des dangers. Aussi sont-ils parfois guidés par une embarcation qui les pousse ou les tire à l'aide d'un câble.

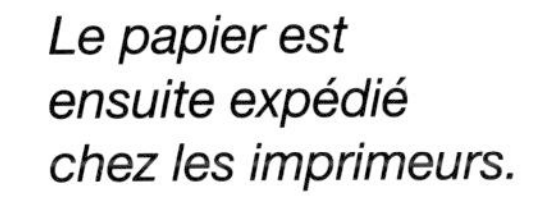

Le papier est ensuite expédié chez les imprimeurs.

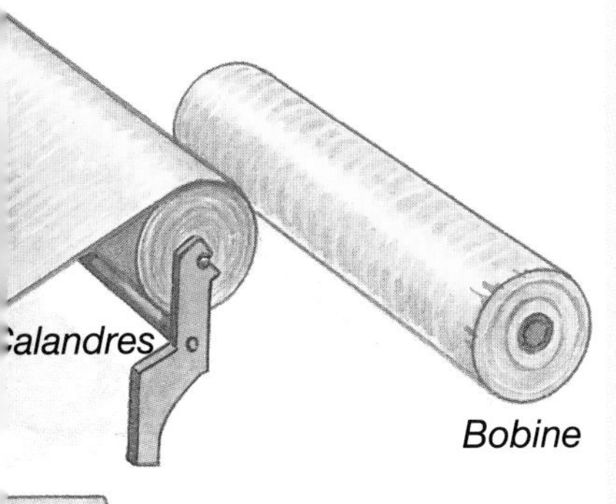

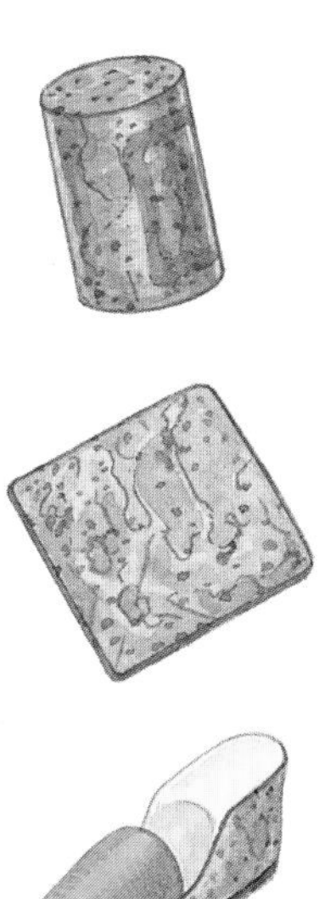

Le chêne-liège

On trouve des forêts de chênes-lièges dans le sud de la France, en Espagne et au Portugal, sur des terres acides et ensoleillées. L'écorce de cet arbre, épaisse et boursouflée, est imperméable et légère. Tous les dix ans environ, on la détache soigneusement du tronc. Elle sert à fabriquer des bouchons et des panneaux muraux.
Un chêne-liège vit environ 300 ans.

L'hévéa

L'hévéa pousse dans les pays tropicaux (Brésil, Viêt Nam, Malaisie). Quand on entaille son écorce, il s'écoule un suc blanc et laiteux : le latex. On le recueille dans des coupelles. Après plusieurs traitements, le latex donnera le caoutchouc naturel. Souple, élastique et imperméable, le caoutchouc sert à fabriquer pneus, vêtements imperméables, ballons, canots, jouets...

LA FORÊT EN DANGER

Beaucoup de dangers menacent les forêts : les pluies acides produites dans les pays industrialisés, les incendies qui ravagent chaque année des milliers d'hectares et l'extension toujours croissante des terres agricoles qui entraîne l'abattage d'un grand nombre d'arbres des forêts tropicales. La disparition de ces forêts a des conséquences graves : érosion des sols, destruction d'espèces animales et végétales, modification du climat. Enfin, des ennemis naturels mettent aussi les arbres en danger : végétaux, champignons et insectes provoquent des maladies qui peuvent les faire mourir.

On a percé une large tranchée dans la forêt amazonienne pour y faire passer une route, la Transamazonienne.

La destruction des forêts tropicales :

Chaque année, ces forêts diminuent. Cette destruction a de multiples causes. Les habitants brûlent le bois pour obtenir de nouvelles terres où ils cultiveront café, cacao, ananas… Le sol de ces forêts est pauvre et s'épuise vite.
Les paysans doivent alors déboiser de nouvelles parcelles de forêt.
De leur côté, les industriels abattent les bois précieux pour fabriquer des meubles.

Les pluies très nocives pénètrent à l'intérieur de l'arbre, attaquent les feuilles, rongent les racines et gênent la production de chlorophylle. Les arbres pollués s'épuisent et meurent.

Les pluies acides :

Les grandes quantités de substances gazeuses qui sortent des cheminées d'usine, des maisons et des tuyaux d'échappement des voitures montent dans l'atmosphère, se mêlent à des gouttelettes d'eau et à d'autres substances chimiques pour retomber en pluies acides sur les forêts.

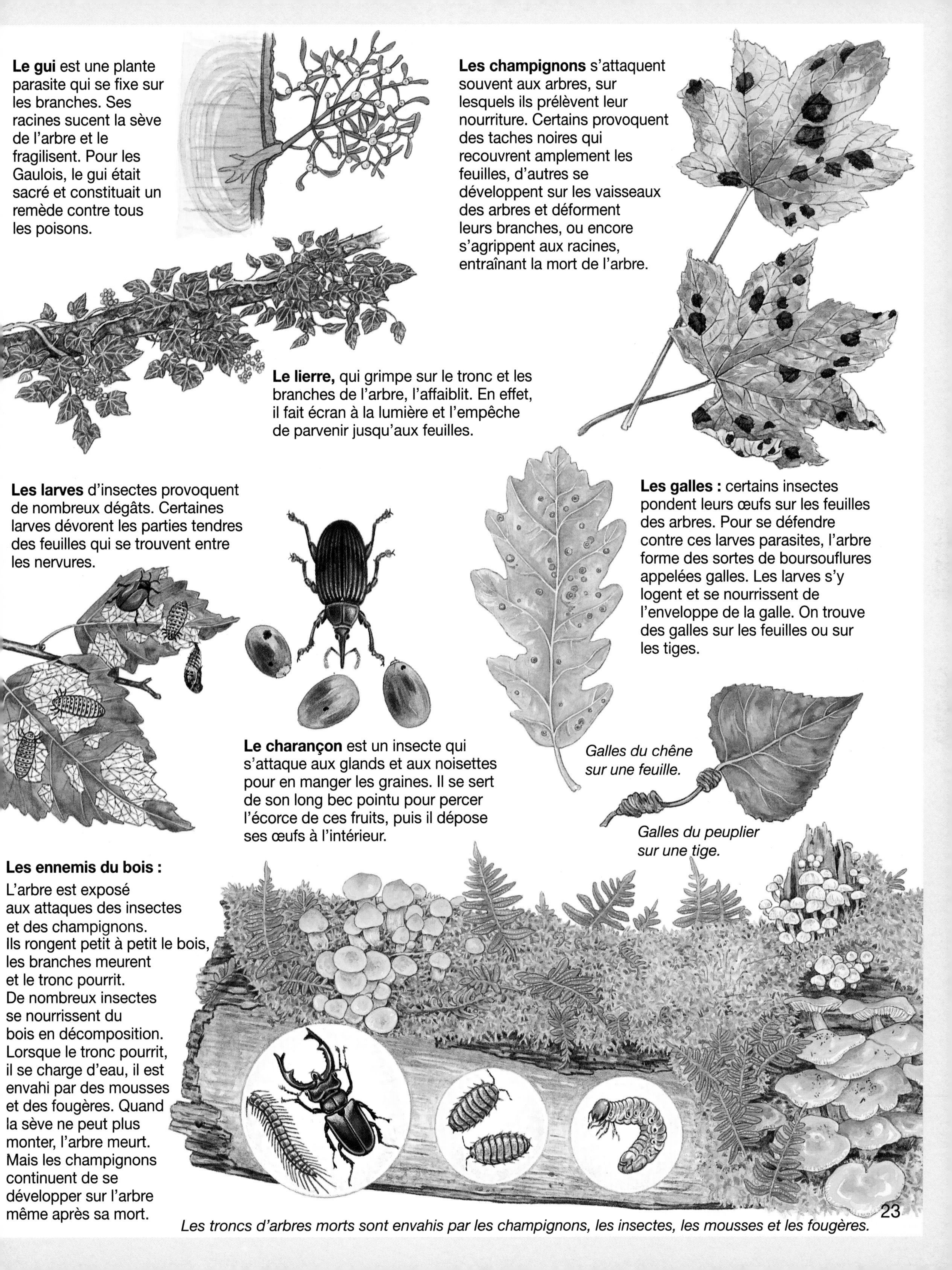

Le gui est une plante parasite qui se fixe sur les branches. Ses racines sucent la sève de l'arbre et le fragilisent. Pour les Gaulois, le gui était sacré et constituait un remède contre tous les poisons.

Les champignons s'attaquent souvent aux arbres, sur lesquels ils prélèvent leur nourriture. Certains provoquent des taches noires qui recouvrent amplement les feuilles, d'autres se développent sur les vaisseaux des arbres et déforment leurs branches, ou encore s'agrippent aux racines, entraînant la mort de l'arbre.

Le lierre, qui grimpe sur le tronc et les branches de l'arbre, l'affaiblit. En effet, il fait écran à la lumière et l'empêche de parvenir jusqu'aux feuilles.

Les larves d'insectes provoquent de nombreux dégâts. Certaines larves dévorent les parties tendres des feuilles qui se trouvent entre les nervures.

Les galles : certains insectes pondent leurs œufs sur les feuilles des arbres. Pour se défendre contre ces larves parasites, l'arbre forme des sortes de boursouflures appelées galles. Les larves s'y logent et se nourrissent de l'enveloppe de la galle. On trouve des galles sur les feuilles ou sur les tiges.

Le charançon est un insecte qui s'attaque aux glands et aux noisettes pour en manger les graines. Il se sert de son long bec pointu pour percer l'écorce de ces fruits, puis il dépose ses œufs à l'intérieur.

Galles du chêne sur une feuille.

Galles du peuplier sur une tige.

Les ennemis du bois :

L'arbre est exposé aux attaques des insectes et des champignons. Ils rongent petit à petit le bois, les branches meurent et le tronc pourrit. De nombreux insectes se nourrissent du bois en décomposition. Lorsque le tronc pourrit, il se charge d'eau, il est envahi par des mousses et des fougères. Quand la sève ne peut plus monter, l'arbre meurt. Mais les champignons continuent de se développer sur l'arbre même après sa mort.

Les troncs d'arbres morts sont envahis par les champignons, les insectes, les mousses et les fougères.

DES ARBRES ÉTONNANTS

Certains arbres sont extraordinaires et surprennent par leur forme inhabituelle, leur taille hors du commun ou leur très grand âge. Les plus petits sont les saules nains, arbres minuscules de 2 cm de haut qui poussent dans l'Arctique. Les plus grands sont les séquoias (111 m) et certains eucalyptus, qui peuvent atteindre 140 m. Le baobab, qu'on trouve dans les déserts, a un tronc gonflé d'eau pour résister à la sécheresse. Le plus vieil arbre connu est un pin bristlecone qui aurait vécu 5 100 ans. Il se trouvait aux États-Unis, dans le Nevada, à 3 300 m d'altitude.

Les pins bristlecones sont les arbres les plus anciens. On a surnommé le plus vieux d'entre eux Mathusalem. Il pousse aux États-Unis en Californie et il a 4 700 ans.

Le banian est aussi appelé figuier de l'Inde. Ses branches descendent si bas qu'elles s'enfoncent dans le sol, y prennent racine et se transforment en nouveaux troncs. Ainsi, le banian s'étend sans cesse et peut former à lui seul une véritable forêt.

Le banian le plus gros du monde, planté avant 1787, avec ses 1 175 racines aériennes, recouvre un cercle de 412 m de circonférence !

Les palétuviers vivent dans la vase, à l'embouchure des fleuves tropicaux. Ils sont en permanence dans l'eau. Ils possèdent des racines en forme d'échasses, qui sortent de l'eau pour leur permettre de puiser dans l'air l'oxygène.

Le cyprès chauve pousse dans les marais du sud des États-Unis. Il perd ses aiguilles en hiver, à la différence des autres résineux. Pour capter l'oxygène dont il a besoin, il fait sortir ses racines de l'eau.

On estime que le cyprès chauve peut vivre plus de 1 000 ans.

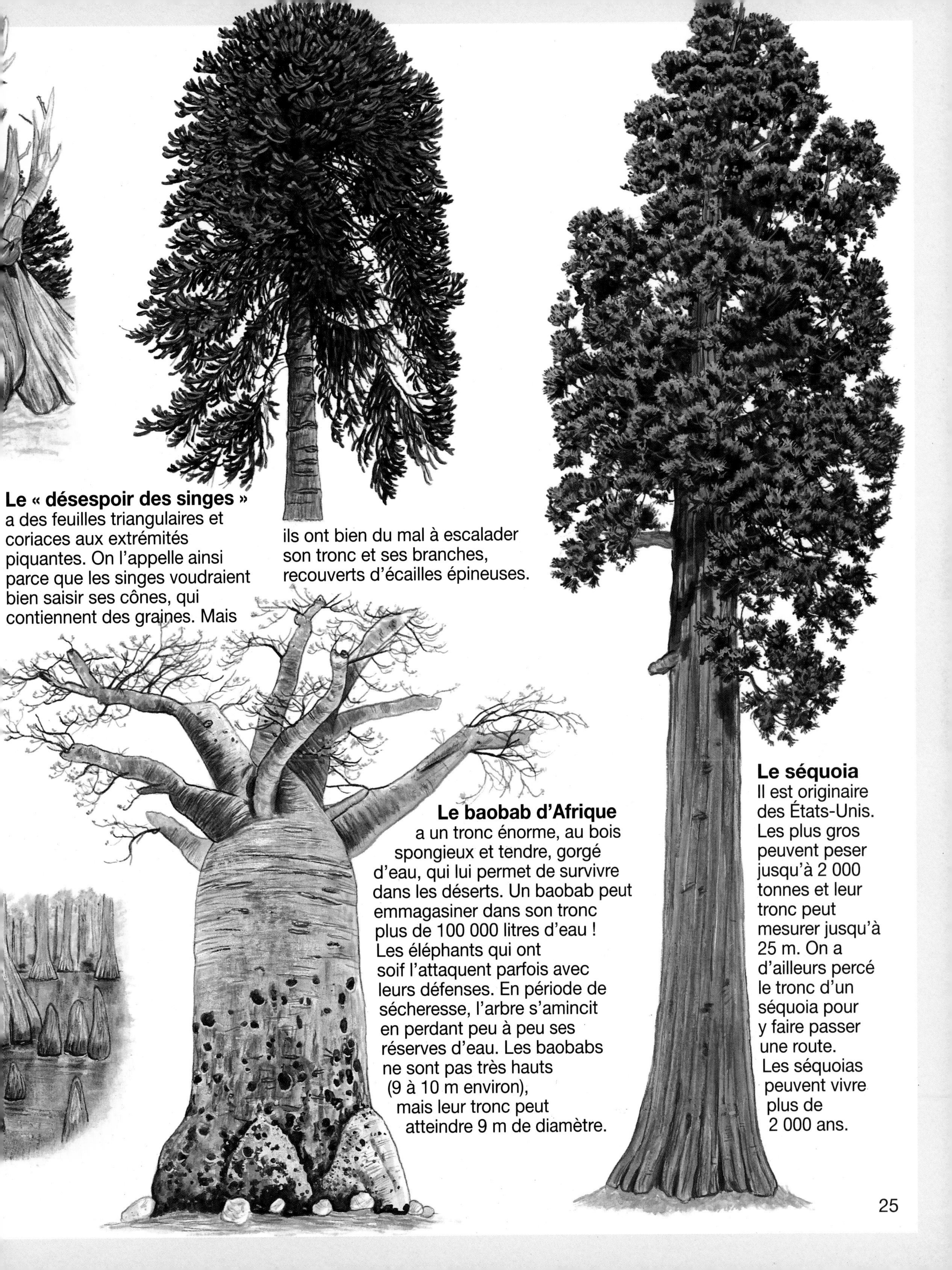

Le « désespoir des singes » a des feuilles triangulaires et coriaces aux extrémités piquantes. On l'appelle ainsi parce que les singes voudraient bien saisir ses cônes, qui contiennent des graines. Mais ils ont bien du mal à escalader son tronc et ses branches, recouverts d'écailles épineuses.

Le baobab d'Afrique a un tronc énorme, au bois spongieux et tendre, gorgé d'eau, qui lui permet de survivre dans les déserts. Un baobab peut emmagasiner dans son tronc plus de 100 000 litres d'eau ! Les éléphants qui ont soif l'attaquent parfois avec leurs défenses. En période de sécheresse, l'arbre s'amincit en perdant peu à peu ses réserves d'eau. Les baobabs ne sont pas très hauts (9 à 10 m environ), mais leur tronc peut atteindre 9 m de diamètre.

Le séquoia
Il est originaire des États-Unis. Les plus gros peuvent peser jusqu'à 2 000 tonnes et leur tronc peut mesurer jusqu'à 25 m. On a d'ailleurs percé le tronc d'un séquoia pour y faire passer une route. Les séquoias peuvent vivre plus de 2 000 ans.

FORÊTS ET LÉGENDES

Pour les peuples primitifs, les arbres sont sacrés. Ils symbolisent la vie et permettent d'accéder au ciel. L'arbre est axe du monde (Yggdrasil) ou symbole de vie (arbre de Noël).
La forêt est le lieu de nombreux contes et légendes. Dans la forêt de Brocéliande, en Bretagne, le roi Arthur et ses chevaliers accomplissent leurs exploits. Robin des Bois et ses compagnons se réfugient dans la forêt de Sherwood, en Angleterre, pour lutter contre l'injustice. Dans les contes, c'est dans les bois que se perd le Petit Poucet et que le Petit Chaperon rouge rencontre le loup.

Les légendes des fées

Les bois mystérieux sont peuplés de fées. Vêtues de blanc, d'une beauté surhumaine, elles vivent près des fontaines et dansent dans les clairières. Certaines sont de bonnes dames qui connaissent les secrets des plantes. Elles deviennent méchantes quand on ne les respecte pas. Leur baguette magique est un rameau d'arbre.

Edimédia - Collection A-K-G - Berlin.

Le frêne Yggdrasil

Pour les anciens peuples du Nord, l'univers entier était un arbre gigantesque, le frêne Yggdrasil. La légende raconte que cet arbre imposant relie la terre, le ciel et l'enfer. Au milieu est le jardin où vivent les hommes.

L'arbre de Paradis

Dans la tradition chrétienne, l'arbre de vie est planté dans le paradis. Au Moyen Âge, les fêtes, qu'elles soient religieuses ou populaires, se déroulent au rythme des saisons. L'arbre de mai, représenté ci-contre, donne lieu à des danses accompagnées de musique.

Edimédia - Londres - Leicister Galleries.

La croix

La croix est un arbre à deux branches. Selon la Bible, le Christ, fils de Dieu meurt, sur la croix pour sauver les hommes. Il meurt puis ressuscite : il renaît comme il fera renaître tous les hommes qui le suivront. Ces hommes qui renaîtront sont comme les innombrables rameaux qui poussent au pied de la croix. Ainsi, l'arbre de mort devient un arbre de vie.

Les elfes et les lutins

Les elfes sont des créatures lumineuses et aériennes vivant dans les forêts germaniques. Leur puissance magique vient de la mandragore, une plante qui a le pouvoir d'endormir. Les lutins sont des êtres tout petits. Ils vieillissent vers 300 ans.
Très taquins, ils protègent cependant enfants et animaux.

Edimédia - Collection particulière.

LES MONTAGNES

Texte
Agnès VANDEWIELE

Images
Jacques DAYAN
Vincent JAGERSCHMIDT

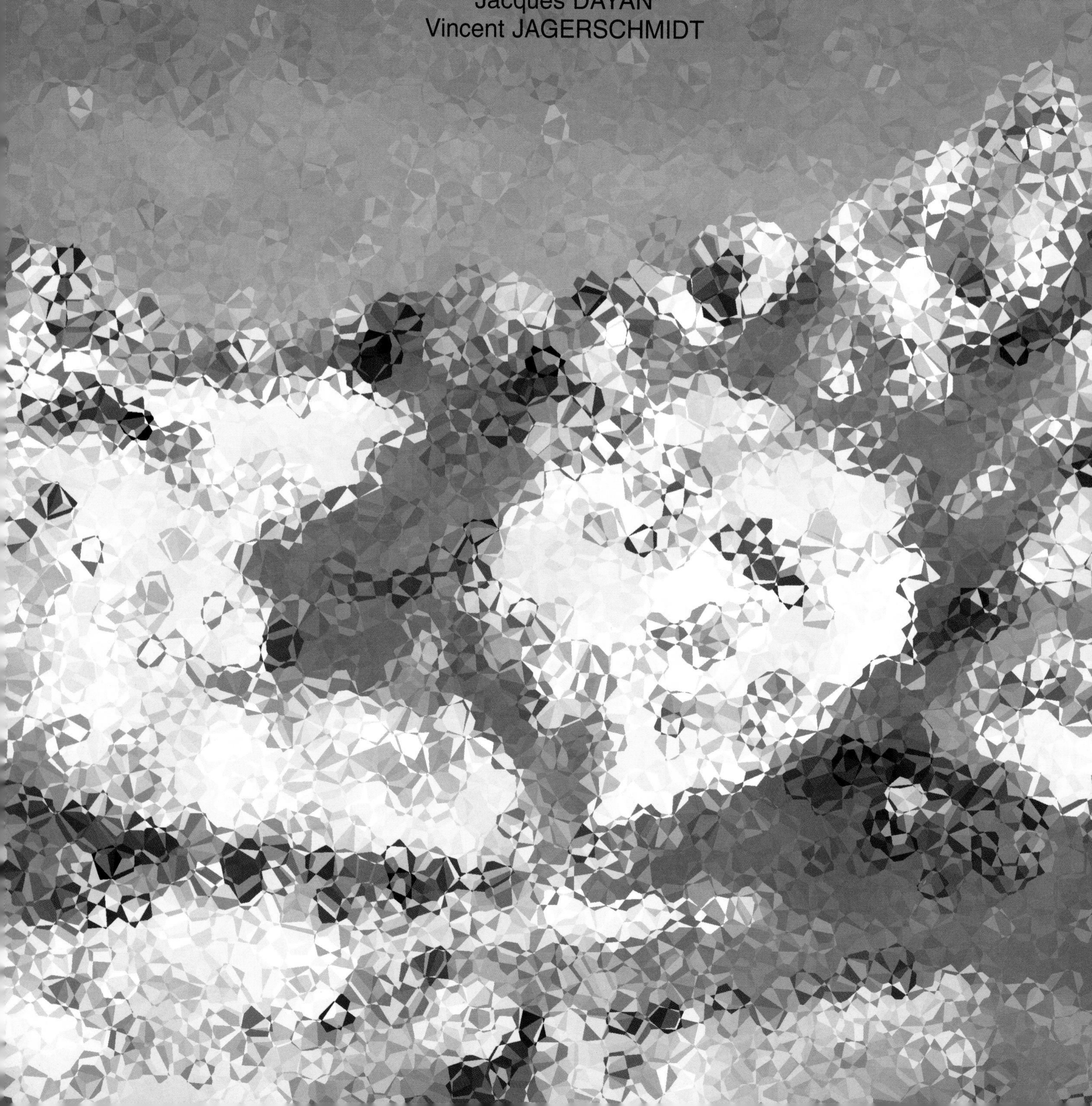

LA FORMATION DES MONTAGNES

Les grandes chaînes montagneuses sont nées de la rencontre et de la collision des plaques qui forment l'écorce terrestre. Cela a demandé des millions d'années. Les mouvements volcaniques font aussi naître des montagnes. Dès qu'une montagne surgit, l'érosion commence son travail : la neige, la pluie, le vent et le gel usent lentement les roches et sculptent le relief. Les montagnes anciennes ont des sommets arrondis, usés par l'érosion. Les montagnes jeunes, nées il y a moins de 70 millions d'années ont des sommets élevés et pointus.

Les glaciers

Au-dessus de la limite des neiges éternelles, la neige ne fond pas. Elle s'accumule sur de fortes épaisseurs de plus de 20 m. Sous son poids énorme, la couche

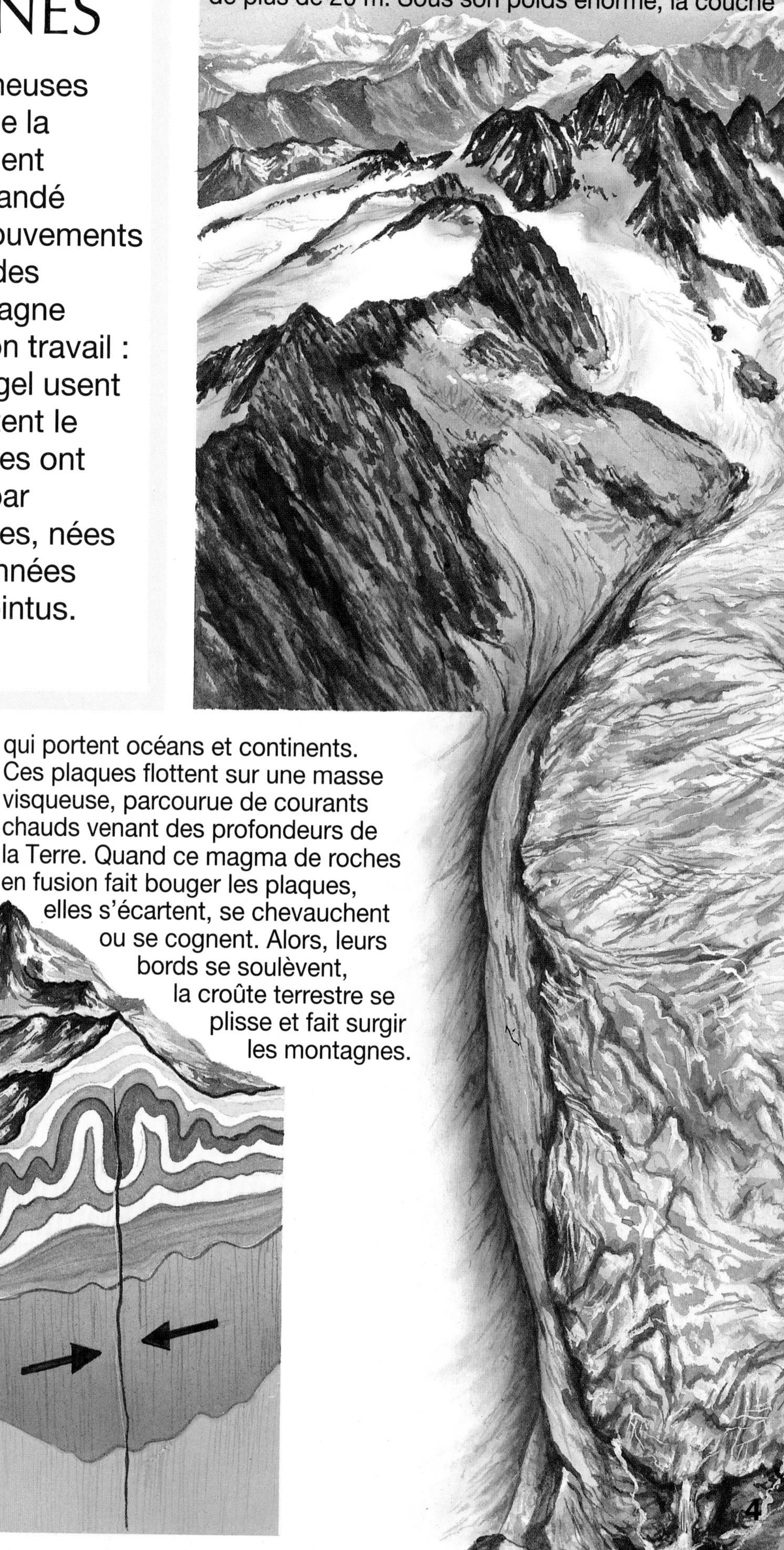

La formation des montagnes

La Terre est formée de plusieurs couches superposées. La couche supérieure, la croûte terrestre, est divisée en plusieurs plaques rigides qui portent océans et continents. Ces plaques flottent sur une masse visqueuse, parcourue de courants chauds venant des profondeurs de la Terre. Quand ce magma de roches en fusion fait bouger les plaques, elles s'écartent, se chevauchent ou se cognent. Alors, leurs bords se soulèvent, la croûte terrestre se plisse et fait surgir les montagnes.

inférieure se tasse en une masse gelée : le névé. Quand, sous la pression, tout l'air est chassé, le névé se transforme en glacier. Le glacier, très lourd, se met à glisser quand la glace a environ 60 m d'épaisseur.

Les crevasses

Le glacier coule plus vite au centre que sur les côtés. Ce phénomène déchire la glace et forme des crevasses. De même, quand le glacier passe sur des bosses, il se fissure.
Ces failles de glace peuvent être très profondes. De très nombreuses crevasses rassemblées ou voisines forment des séracs, d'énormes blocs de glace découpés par des fissures. Très dangereux, un sérac peut s'effondrer brusquement. Les alpinistes doivent donc être très prudents dès qu'ils sont sur la glace. Les crevasses sont parfois recouvertes et cachées par des ponts de neige qui peuvent s'écrouler sous les pas des grimpeurs.

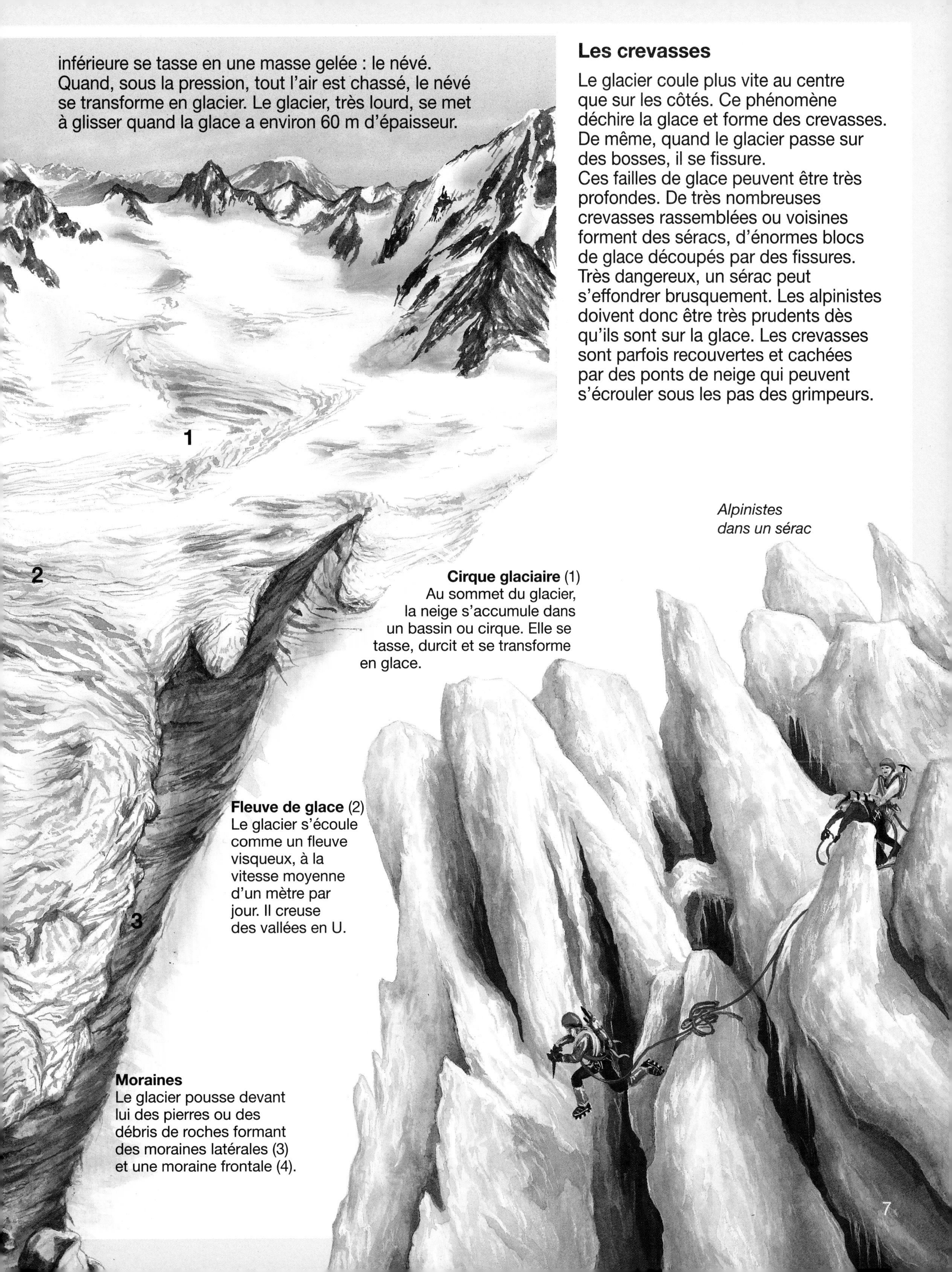

Alpinistes dans un sérac

Cirque glaciaire (1)
Au sommet du glacier, la neige s'accumule dans un bassin ou cirque. Elle se tasse, durcit et se transforme en glace.

Fleuve de glace (2)
Le glacier s'écoule comme un fleuve visqueux, à la vitesse moyenne d'un mètre par jour. Il creuse des vallées en U.

Moraines
Le glacier pousse devant lui des pierres ou des débris de roches formant des moraines latérales (3) et une moraine frontale (4).

LA CONQUÊTE DES GRANDS SOMMETS

L'alpinisme est né à Chamonix avec la conquête du mont Blanc (1786-87). La plupart des grands sommets des Alpes sont atteints avant 1850. L'alpinisme se développe avec les guides de Chamonix et de grands alpinistes anglais comme E. Whymper, qui réussit l'ascension du Cervin (Suisse) en 1865. Entre-temps, hors Europe, de nombreux sommets sont conquis : le Kilimandjaro (Tanzanie, 1887), l'Aconcagua (Argentine, 1897), le mont McKinley (Alaska, 1913). Mais le défi majeur reste l'Himalaya, dont ses sommets seront vaincus après la Seconde Guerre mondiale.

Jacques Balmat

Michel-Gabriel Paccard

Première du mont Blanc : Paccard et Balmat

En juin 1786, un habitant de Chamonix, Jacques Balmat, déclare avoir découvert, seul, l'itinéraire du sommet. Deux mois plus tard, il reprend l'ascension avec le médecin Michel-Gabriel Paccard. Les deux hommes quittent Chamonix par beau temps. Le soir, ils bivouaquent au sommet de la montagne de la Côte. Repartant le lendemain à 4 heures du matin ils atteignent le sommet le 8 août 1786, à 18h 23. C'est un moment historique.

Ascension de Mlle Henriette d'Angeville.

Un savant sur le mont Blanc

M. de Saussure, un savant genevois, rêve de conquérir le mont Blanc. L'exploit de Balmat et Paccard ayant ouvert la voie, il entreprend son expédition le 2 août 1787, avec son valet de chambre et 18 guides et porteurs chargés d'un volumineux matériel scientifique. Guidée par Balmat, l'expédition atteint péniblement le sommet. M. de Saussure y reste plus de quatre heures pour ses observations scientifiques. Ainsi débute l'alpinisme.

Wocher MARQUART « Voyage de M. de Saussure à la cime du Mt Blanc ». Musée Alpin de Chamonix.

Itinéraire emprunté par Paccard et Balmat.

*:n septembre 1838,
-lenriette d'Angeville décide
le gravir le mont Blanc.
:lle part avec six guides,
e 3 septembre 1838 à
h 30 du matin. L'ascension
st épuisante. Le lendemain,
lle atteint le sommet et
âche un pigeon chargé
l'un message annonçant
on succès.*

LELIÈVRE "Ascension du mt Blanc par Mlle d'Angeville".

juin 1950, le Français
. Herzog, avec trois autres
pinistes (L. Lachenal,
Terray et G. Rebuffat),
rt pour l'ascension
l'Annapurna.
ne voie d'accès
t trouvée et, malgré
puisement et de
olentes tempêtes
neige, c'est à bout
forces que, le 3 juin,
erzog et Lachenal
teignent les 8 078 m
sommet. Le grand froid
s oblige à redescendre
pidement, les mains
lées, épuisés. Alors
'Herzog va
effondrer, l'équipe
joint le camp de
ise. C'est la première
is qu'un sommet de
us de 8 000 m est
nquis. L'ère des
andes ascensions
st ouverte.

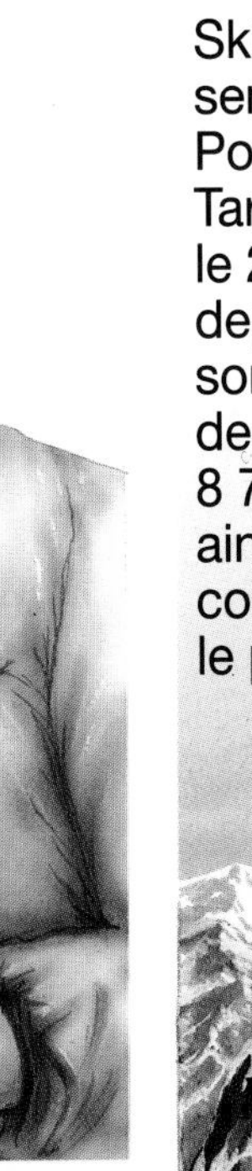

La conquête du toit du monde

Entre 1921 et 1938, sept expéditions tentent l'ascension de l'Everest et la reconnaissance des voies d'accès. La huitième expédition, anglaise, organisée en 1953 par le colonel J. Hunt, prévoit de passer par le sommet sud. Elle se compose de douze alpinistes et du sherpa Tensing, le chef des porteurs. Le 12 avril 1953, l'expédition parvient au camp de base, à 5 400 m. Le 21 mai, le col sud est franchi. Le 29 mai, les deux hommes désignés pour le dernier assaut, E. Hillary et Tensing, atteignent le sommet (8 848 m) à 11 h 30. Pour la première fois dans l'Histoire, deux alpinistes sont sur le toit du monde. C'est un triomphe.

Hillary

Tensing Norgay

Descendre l'Everest à ski

Skier sur le toit du monde semble un défi impossible. Pourtant, le Français Pierre Tardivel réussit cet exploit le 27 septembre 1992, depuis le sommet sud de l'Everest, à 8 770 m. Il est ainsi reconnu comme "le skieur le plus haut du monde".

L'HIMALAYA

L'Himalaya est la plus haute chaîne de montagnes du monde. Longue de 2 800 km, elle s'étend sur le Pakistan, l'Inde, le Népal, la Chine (Tibet) et le Bhoutan. L'Everest, situé à la frontière sino-népalaise, est la montagne la plus élevée de la planète (8 848 m). Les Tibétains l'appellent Chomolungma, déesse mère de la Terre.
La chaîne himalayenne comprend 14 sommets dépassant 8 000 m. À l'ouest, dans le massif du Karakorum, se dresse le K2 (8 611 m), deuxième pic du monde. C'est dans l'Himalaya que prennent leur source les plus grands fleuves de Chine, de l'Inde et du Viêt Nam.

La plus haute montagne du monde : l'Everest 8 848 m.

Les Sherpas

Les Sherpas du Népal, descendants d'un peuple montagnard du Tibet, deviennent porteurs dans les années 20 et 50, avec les premières expéditions britanniques. Les Sherpas peuvent porter sur leur dos l'équivalent de leur propre poids, pendant huit heures par jour. Ils sont souvent accompagnés de yacks qui transportent de lourdes charges. Sans ces hommes et ces femmes habitués à l'altitude, beaucoup d'expéditions n'auraient pu aboutir.

Le camp de base

Le camp de base de l'Everest est situé à 5 400 m, au pied d'un immense glacier. Là, un vrai village est installé par chaque expédition pour loger, nourrir et soigner tous ses membres.

Dans le camp, il y a des tentes-cuisines, des tente-repos et une tente-hôpital. Des porteurs viennent avec des yacks ravitailler le campement.

’ascension de l’Everest

. partir du camp de base, les équipes ıstallent les camps supérieurs à 500 m, 7 000 m, 7 500 m et 000 m. Ces étapes sont nécessaires our que les alpinistes s’habituent rogressivement au froid et au ıanque d’oxygène, qui s’accentue u fur et à mesure qu’on s’élève.

Les monastères bouddhiques

L’Himalaya abrite de nombreux monastères bouddhiques, parfois perchés très haut. Dans les monastères tibétains vivent des moines. Les maîtres spirituels du bouddhisme, les lamas, et les autres moines partagent leur temps entre travail, étude, méditation et cérémonies. Lhassa, capitale du Tibet, est la ville la plus élevée du monde (3 680 m). C’est le centre spirituel du bouddhisme.

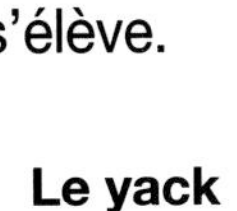

a panthère des neiges
e grand Himalaya, au-essus de 3 900 m, est domaine de la panthère es neiges, le plus beau es grands félins. Elle ıasse les moutons et s chèvres sauvages. hiver, elle descend hercher ses proies dans s vallées. C’est une spèce menacée e disparition.

Le yack
Le yack, avec son épaisse toison qui le protège de la neige, et son sang très riche en globules rouges, est adapté à la vie en très haute montagne. Robuste, le yack peut porter des charges de 120 à 150 kg, traverser des fleuves à la nage et escalader des sentiers abrupts.

Au Népal, les gentianes poussent à 4 500 m d’altitude. Différentes des gentianes des Alpes, elles revêtent plusieurs nuances de bleu.

L’étoile de Noël, aux couleurs flamboyantes, s’épanouit en septembre et octobre au Népal.

L’arisaema pousse à environ 3 000 m d’altitude. Aux mois de septembre et octobre, ses fruits se colorent en rouge.

Ces buissons d’églantines ou roses sauvages se trouvent à 3 700 m d’altitude.

LA VIE DANS L'HIMALAYA

Les populations ont des modes de vie différents selon le climat et l'altitude où elles habitent. Dans les vallées, les habitants pratiquent l'agriculture et l'élevage. Au-delà de 4 000 m, vivent les pasteurs. Ils gardent leurs troupeaux de yacks, de moutons et de chèvres sur les hauts plateaux et vivent dans des tentes. Certains sont nomades : ils quittent leur village d'avril à septembre pour monter aux pâturages avec leur bétail, et redescendent l'hiver dans la vallée. Au Népal, beaucoup de Sherpas ont deux métiers. Ils sont à la fois paysans et porteurs.

Villages et cultures
Au Népal, les paysans cultivent le riz jusqu'à plus de 2 000 m d'altitude. Sur les pentes raides, des rizières en terrasses ont été péniblement installées. Ces terrasses n'ont souvent pas plus de 2 m de large.

Le marché

Dans la capitale du pays sherpa, Nanché-Bazar (Népal), à 3 440 m d'altitude, le samedi est le jour du marché. Les paysans sherpas, qui habitent à plus de 4 000 m, descendent y acheter du riz et du maïs apportés par les paysans des plaines, qui portent sur leur dos de lourdes charges.

La préparation des repas

Au Népal et au Tibet, le plat de base est la *tsampa* : une bouillie épaisse faite d'une farine grillée puis moulue. Pour moudre le grain, les femmes sherpas utilisent encore des moulins à farine. Pour accompagner

Cette femme pile des gousses de poivre de Cayenne dans un mortier.

Un système d'irrigation approvisionne les rizières en eau. Dans de petites cabanes, le long des rivières, des moulins font circuler l'eau. De très longs escaliers en pierre mènent dans le fond des vallées. Au-dessus des rizières, on cultive le maïs, l'orge, le sarrasin, le seigle et les pommes de terre.

la *tsampa*, on pile dans un mortier des gousses de poivre de Cayenne auquel on ajoute un peu d'eau pour obtenir une sauce très piquante, qui accompagne aussi les pommes de terre et le riz. Avec l'orge, les Tibétains fabriquent une boisson fermentée, le *tschang,* que l'on boit l'hiver pour lutter contre le froid, ainsi que du thé salé au beurre de yack. Les Tibétains mangent de la viande de yack séchée.

Les travaux des champs

Au Népal et au Bhoutan, les labours se font encore avec une charrue à socle de bois, tirée par un *dzo*, croisement du yack et du bœuf. Très résistant, il peut travailler jusqu'à 3 500 m d'altitude. Les semailles et les labours sont le travail des hommes. Les femmes, elles, portent sur leur dos de lourds fagots. Elles emmènent souvent les tout petits enfants aux champs avec elles.

Femme utilisant un moulin à farine

Le climat rude, les pentes abruptes et le manque de routes praticables rendent les déplacements très difficiles. Pour transporter un malade à l'hôpital, on l'assoit sur une chaise à porteur et le voyage peut durer plusieurs jours.

LES ANDES

La cordillère des Andes, longue d'environ 8 000 km, borde la côte ouest de l'Amérique du Sud. C'est la plus longue chaîne de montagnes du monde, véritable barrière de granit et de glace qui se dresse face à l'océan Pacifique. Une trentaine de pics dépassent 6 000 m, et le plus haut sommet, l'Aconcagua, en Argentine, culmine à 6 959 m ; on y trouve aussi de nombreux volcans, comme le Coropuna, au Pérou (6 600 m). De nos jours, sur l'*altiplano*, les hauts plateaux, les Indiens pratiquent l'élevage des lamas et des alpagas. Dans les Andes, au Pérou, passe le chemin de fer le plus haut du monde. Il va jusqu'à 4 800 m.

La cordillère des Andes

C'est une chaîne composée de montagnes et de vastes plateaux couverts de steppe. Sur les hauts plateaux, le climat est froid.

Le lac Titicaca

Situé à 3 800 m d'altitude, le lac Titicaca est le plus haut lac navigable du monde. Il se trouve à la frontière entre la Bolivie et le Pérou. Les îles flottantes du lac Titicaca sont montées sur pilotis. Les roseaux, très abondants, servent à construire les maisons et les barques des pêcheurs. Les Indiens vivent surtout de la pêche. Ils chassent aussi des oiseaux, récoltent des plantes lacustres et fabriquent des objets en roseau.

Les marchés andins

Sur les marchés andins, les paysans de la cordillère vendent leurs produits : maïs, haricots, volaille... Ils y achètent aussi tout ce dont ils ont besoin. Beaucoup d'Indiens vivent de l'artisanat. Ils tissent des étoffes,

Dans les champs en terrasses, les Indiens cultivent des pommes de terre et des céréales (blé, orge) ; dans les vallées, près des villages, ils font pousser du maïs et des fèves.

Fleurs des Andes

Le Machu Picchu

Cette cité inca, l'une des merveilles du monde, n'a été découverte qu'en 1911. Elle était jusqu'alors envahie par la forêt vierge. Située à 2 400 m d'altitude, elle est installée sur un éperon rocheux. Cette citadelle témoigne de la grandeur de la dynastie inca. À partir du XIIIe siècle, les Incas ont progressivement formé un vaste empire très organisé qui s'est éteint avec l'arrivée des Espagnols dans la première moitié du XVIe siècle.

des tapisseries murales, des couvertures, des ponchos et des vêtements en laine d'alpaga. Ils proposent aussi aux touristes des bijoux en or et en argent et des objets en jonc tressé.

Le lama vit dans les hauts plateaux. Il peut porter de lourdes charges. Avec son lait, on fait du fromage. Avec les longs poils du lama alpaga, on obtient une laine douce et chaude.

LES ROCHEUSES ET L'ALASKA

La chaîne des montagnes Rocheuses s'étend du Canada au Mexique sur plus de 4 800 km et culmine à 4 405 m au Blanca Peak, dans le Colorado.
Ces montagnes sauvages recèlent des curiosités géologiques surprenantes : arches sculptées, geysers, canyons et grands lacs. Le Yellowstone Lake, situé à 2 357 m d'altitude, est le deuxième plus grand lac du monde après le lac Titicaca, dans les Andes.
Les premiers habitants des Rocheuses étaient les Indiens.
La plus haute montagne d'Amérique du Nord est le mont McKinley (6 193 m), situé dans la chaîne de l'Alaska.

Les Rocheuses

Les Rocheuses dominent d'immenses lacs et de grand forêts de conifères. Dans ces paysages grandioses, de splendides parcs nationaux

Le mont McKinley

Le mont McKinley, que les Indiens d'Alaska appellent Denali («le Grand»), est constitué de deux sommets. Le plus élevé atteint 6 193 m. Situé près du cercle polaire, le massif McKinley subit un climat très rigoureux, avec de fortes tempêtes de neige qui forment d'immenses glaciers, comme le Kahiltna (75 km).

Les rangers

Ces gardes forestiers protègent la faune et la flore, entretiennent les sentiers et détectent les feux de forêt.

britent ours noirs, grizzlis, bisons, lans et wapitis. On trouve aussi ans les parcs de nombreux nammifères : écureuils, belettes, outres, marmottes, coyotes, ynx et castors.

Arches National Park

Ce parc, situé dans l'Utah, est réputé pour le très grand nombre d'arches naturelles qu'on y trouve. Delicate Arch, que l'on voit ici, est un gigantesque arc de grès ocre-rouge. Au loin, on aperçoit les sommets enneigés de la chaîne des Rocheuses.

Le vent, la pluie, la neige ont sculpté dans les roches des arches superbes.

Les Indiens

De nombreuses tribus indiennes se sont installées dans les Rocheuses, tels les Cheyennes. Chaque tribu avait son totem, un animal dont les membres de la tribu possédaient les vertus.

***Le grizzli** est un ours gigantesque. Il a une face large et aplatie et une bosse sur les épaules, qui le distinguent des ours noirs. Le mâle peut peser entre 300 et 450 kg. Ses griffes très longues lui servent à tuer ses proies (élans, caribous). Il se nourrit aussi de poissons, de plantes et de petites bêtes. On le trouve au Canada et en Alaska.*

Grâce à ses sabots recourbés, la chèvre blanche des Rocheuses se cramponne aux rochers. Sa taille peut atteindre 1 m à l'épaule.

Le wapiti habite les plaines et les forêts des Rocheuses canadiennes. Sa grande ramure, haute et effilée, peut peser plus de 15 kg.

LES ALPES

Les Alpes forment un arc qui s'étend de la Méditerranée jusqu'à Vienne, sur 1 200 km. Elles passent par la France, la Suisse, l'Italie et l'Autriche. Le point culminant, le mont Blanc (4 807 m), est entouré de sommets de plus de 4 000 m et d'immenses glaciers. L'un des plus étonnants, la mer de Glace, fait 15 km de long.
De grands fleuves d'Europe, comme le Rhône et le Rhin, prennent leur source dans le massif alpin.
C'est dans les Alpes, en France, que sont nées les premières stations de sports d'hiver, dès la fin du XIXe et le début du XXe siècle (Chamonix, Saint-Gervais, Megève).

Globulaire

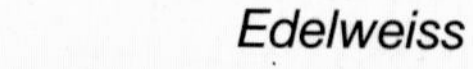

Edelweiss

L'agriculture en montagne

Dans les vallées, on cultive le seigle, le blé, l'avoine et l'orge. L'été, les paysans ramassent le fourrage qui nourrira les bêtes l'hiver. Au printemps, ils mènent vaches et moutons dans les pâturages.

À partir du lait de vache, on obtient de délicieux fromages. Chaque région a sa spécialité : gruyère (ci-dessous), tomme etc.

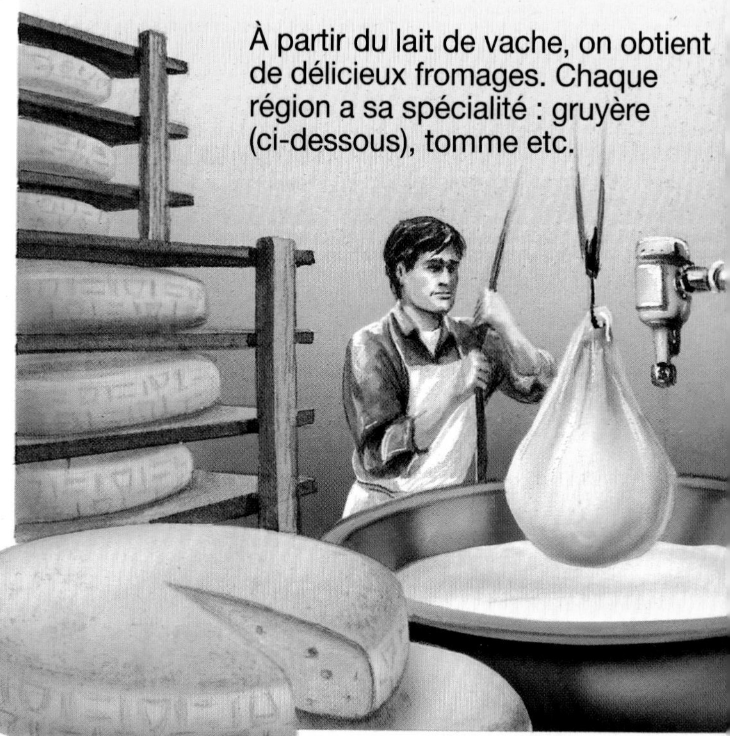

La faune et la flore

Les Pyrénées sont le domaine de l'ours brun, de l'isard (le chamois pyrénéen, plus petit que les autres chamois), du bouquetin et de la marmotte. Mais certaines espèces, comme l'ours et le bouquetin, sont menacées de disparition. Quelques ours bruns vivent encore dans les Pyrénées occidentales, et l'on vient de réintroduire deux ourses de Slovénie dans les Pyrénées centrales.
Sur le versant espagnol, on trouve encore quelques bouquetins. Le parc national des Pyrénées abrite des isards, des marmottes et de grands rapaces, comme le vautour fauve. La flore pyrénéenne est très riche et compte des espèces protégées comme le lis des Pyrénées.

Le vautour fauve, ci-dessus
Grâce à ses ailes, dont l'envergure peut atteindre 2,50 m, il plane dans le ciel en se laissant porter par les courants d'air chaud.

Iris rouge

Saxifrage

L'ours des Pyrénées
L'ours brun se nourrit surtout d'herbe, de fruits sauvages et de racines. Pendant l'hiver, dans la tanière, l'ourse met au monde un ou deux oursons.

L'observatoire du pic du Midi de Bigorre

Sur le pic du Midi de Bigorre, à 2 877 m d'altitude, est situé un important observatoire astronomique. Il a été bâti en 1880 et possède un télescope de 2 m de diamètre, qui permet aux scientifiques d'observer la lune, mais aussi les très lointaines galaxies.

CAUCASE ET CARPATES

Les Carpates sont une chaîne montagneuse de 1500 km de long, située dans l'Europe centrale et du Sud-Est. Moins hautes que les Alpes, les Carpates traversent la Pologne, la Roumanie, la Slovaquie et l'ouest de la Russie. Beaucoup de montagnards des Carpates sont paysans, bergers ou charpentiers. Certains vivent aussi du tourisme. Le Caucase s'étire sur 1 200 km de long, entre la mer Noire et la mer Caspienne. Près de la frontière russe, en Turquie, se dresse le mont Ararat (5 160 m), sur lequel, selon la Bible, aurait échoué l'arche de Noé.

Les Tatras, dans les Carpates

Ce massif compte les plus hauts sommets de la chaîne des Carpates. Il s'étend sur plus de 60 km,

Les montagnes du Caucase (ci-contre)

Les montagnes de la partie ouest du Caucase sont couvertes de forêts de hêtres, de chênes et de conifères où vivent chevreuils, ours, lynx et loups. Au centre du Caucase, des prairies sont peuplées de chamois, de mouflons et de chèvres sauvages. Dans la partie est du Caucase, aride, s'étend une steppe épineuse où vivent antilopes, hyènes et chacals.

Les prairies du Caucase offrent une grande variété de fleurs, comme ce grand lis.

le long de la frontière slovaco-polonaise. Le point culminant, le Gerlachovka (2 663 m), est situé dans les Hautes-Tatras, en Slovaquie. Le parc national des Hautes-Tatras abrite de nombreuses espèces animales devenues rares dans les autres pays d'Europe, comme l'ours brun, le lynx et le vison.

Le mont Elbrouz, situé dans le Caucase du Nord, culmine à 5 633 m. Ce volcan éteint, à double pic, est la plus haute montagne d'Europe.

La vie rurale dans les Carpates

Dans les Carpates, les montagnards polonais et roumains ont de petites exploitations agricoles. Ils y cultivent des pommes de terre, du maïs, du seigle. Les labours se font encore souvent avec des attelages de bœufs et de chevaux.

Le travail du bois

Dans les Carpates, les églises et les maisons sont bâties en bois de mélèze ou d'épicéa, avec des portails travaillés. Chaque montagnard apprend, en plus du métier de la terre, à travailler le bois.

LES MONTAGNES D'AFRIQUE

Au cœur de l'Afrique, près de l'équateur, se dressent de hautes montagnes couronnées de neiges éternelles. La plus haute d'entre elles se trouve en Tanzanie : c'est le massif du Kilimandjaro, un ensemble de trois volcans. Le plus élevé d'entre eux, le Kibo, atteint 5 895 m. Il a été gravi pour la première fois en 1889. Au Kenya, le mont Kenya (5 199 m) abrite une végétation extraordinaire. En Ouganda, le Ruwenzori (5 119 m) est entouré des jungles les plus denses du monde, avec des plantes géantes de 15 m de haut. Dans la chaîne de l'Atlas, au Maroc, le Toubkal culmine à 4 165 m.

Le Kilimandjaro, appelé aussi «le toit de l'Afrique», a toujours servi de point de repère pour les caravanes.

Jeune fille masaï

L'Atlas

Cette barrière de plus de 700 km, avec ses sommets culminant au-dessus de 4 000 m, se dresse dans le sud du Maroc. Dans les hautes vallées, d'accès très difficile, situées entre 2 000 et 3 000 m d'altitude, vivent de rudes montagnards berbères. Leurs maisons sont construites en pisé (mélange de terre et de paille). Les Berbères cultivent le blé et l'orge dans des champs en gradins et font pousser des noyers.

Le pic enneigé du Kilimandjaro resplendit au-dessus de la savane peuplée d'animaux sauvages.

es Masaïs vivent dans
s vallées au pied du
ilimandjaro. Ces nomades
ardent leurs troupeaux
e moutons et de chèvres
u milieu des lions et des
uffles. Ils vivent en groupes
e plusieurs familles, dans
es huttes. Ils se nourrissent
e lait et de viande de
outon ou de chèvre

Guerrier masaï

Le mont Kenya culmine à 5 199 m d'altitude.

Le mont Kenya

Il a été gravi pour la première fois en 1899 par l'Anglais H. McKinder. Sur ses pentes, poussent de la bruyère aussi haute que des arbres et des plantes géantes de 4 m de haut. Les forêts du mont Kenya sont riches en cèdres, oliviers et bambous. Elles abritent beaucoup d'animaux : aigles, éléphants, rhinocéros, buffles, antilopes et léopards.

es bergers berbères

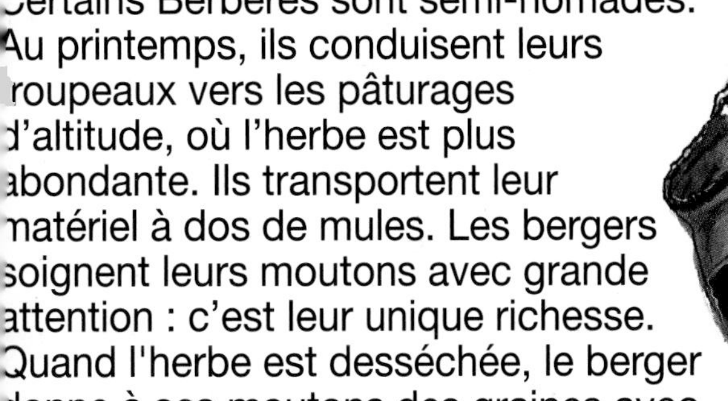

Certains Berbères sont semi-nomades. Au printemps, ils conduisent leurs troupeaux vers les pâturages d'altitude, où l'herbe est plus abondante. Ils transportent leur matériel à dos de mules. Les bergers soignent leurs moutons avec grande attention : c'est leur unique richesse. Quand l'herbe est desséchée, le berger donne à ses moutons des graines avec un peu de sucre. Les Berbères se nourrissent de viande de chèvre et de mouton et boivent du thé à la menthe.

LES SPORTS DE MONTAGNE

La montagne, domaine de la neige, de la glace et des torrents, est un lieu privilégié pour de nombreux sports. Le ski est au centre des sports d'hiver. C'est vers 1900 que, dans les Alpes (en Suisse et à Chamonix en France), a débuté le ski alpin.
D'autres disciplines sont apparues : patinage, luge, bobsleigh, saut à ski ; puis de nouveaux sports de glisse : monoski, surf des neiges, ski acrobatique et sur bosses.
L'été, on pratique l'escalade, le parapente, le rafting, le canyonning et le canoé-kayak.

L'escalade

L'escalade, c'est l'ascension, avec les pieds et les mains, d'une paroi rocheuse ou d'un piton. Il faut toujours garder trois points d'appui, par exemple deux pieds et une main, pour déplacer l'autre main qui ira chercher une prise plus haute (trou, aspérité, fissure). On descend souvent en rappel.

L'alpiniste fait des courses en haute montagne et l'ascension des sommets. Quand la pente devient raide, il grimpe à l'aide de pitons, de mousquetons (anneaux ouvrants) et monte sur les parois de glace grâce à son piolet et à ses chaussures à crampons.
Les alpinistes en groupe sont encordés : si l'un d'eux « dévisse » (quitte la paroi ou tombe), il est retenu par les autres.

Le canyonning

C'est la descente de torrents. Les sportifs descendent en rappel avec une corde, ils glissent sur des toboggans naturels et sautent quand la chute du torrent le permet. Il faut être accompagné d'un moniteur expérimenté.

Le rafting

C'est la descente en raft de rivières torrentueuses. Le raft est un canot pneumatique flottant grâce à des boudins gonflés. Très résistant, il peut accueillir quatre à douze passagers. Piloté par un guide de rivière, le raft descend des rapides, passe dans des rouleaux (vagues déferlantes) et franchit des seuils (petites chutes).

Snowboard ou surf des neiges

Sur sa planche, les pieds perpendiculaires ou de biais, le surfeur se lance dans la pente. En se servant de ses bras comme balancier, il contrôle sa vitesse et dirige sa planche, pivote, bascule et vire. Il y a des compétitions alpines (descentes, vitesse) ou de figures acrobatiques, parfois sur des pistes avec des obstacles spécialement aménagés.

Le ski alpin

La descente à ski, base des sports de glisse, est née au début du siècle. Depuis les premières descentes maladroites sur des patins norvégiens, on est arrivé aux techniques perfectionnées actuelles : virages serrés, dérapage, godille, slalom, descente “schuss”. Ce grand sport figure aux Jeux Olympiques d’hiver, avec la descente et le slalom.

La randonnée

Le randonneur suit des sentiers balisés en montagne. Il s’oriente grâce à des cartes où figurent rochers, lacs, forêts, refuges, crêtes ...

Le V.T.T.

Ce vélo tout-terrain permet, en montagne, des randonnées qui seraient trop longues à pied. Avec ses petites roues, ses gros pneus et de bons freins, il roule sur des sentiers de cailloux, et des pentes raides, là où un vélo ordinaire ne passe pas. On trouve dans des guides des itinéraires spéciaux pour V.T.T.

Le ski de fond

En ski de fond, on avance sur la neige en terrain plat ou peu vallonné. On suit des pistes, les traces. Les skis sont longs, effilés et laissent le talon libre. Le fondeur s’aide de ses bâtons. Ce ski est directement issu du ski norvégien.

LES VOLCANS

Texte
Cathy FRANCO

Mise en page
Illustrations
Jacques DAYAN

QU'EST-CE QU'UN VOLCAN ?

Toute fissure du sol par laquelle la lave, issue des profondeurs de la Terre, parvient à se frayer un passage est un volcan ! On les représente souvent comme des montagnes pointues, or certains volcans sont tout ronds et d'autres, presque plats ! La vie des volcans est souvent très longue et s'étale sur plusieurs siècles. On les accuse d'être destructeurs ; pourtant, sans eux, notre planète exploserait. Telle la soupape de sécurité d'une Cocotte-Minute, ils permettent en effet à l'énorme pression qui règne au cœur de la Terre de s'échapper de temps en temps. Il existe environ 15 000 volcans sur les continents.

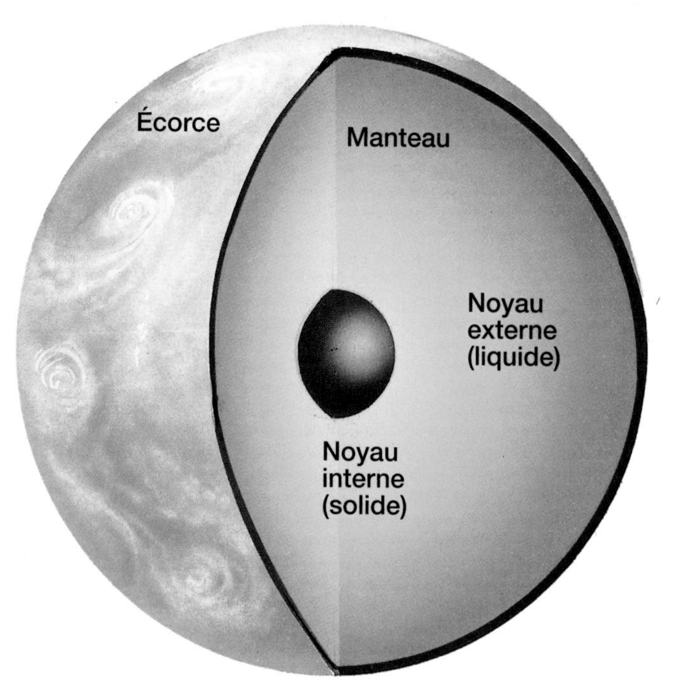

Planète de feu

Tel un fruit, la Terre est protégée par une fine peau, l'écorce terrestre. À l'intérieur, la chair, appelée « manteau », est formée d'une roche fondue et brûlante, le magma. Lorsqu'il parvient, bouillonnant, à la surface, il prend le nom de « lave ». Au centre de la Terre se trouve le noyau.

À quoi ressemble un volcan ?

Il est formé de trois parties : le réservoir de magma, la cheminée, par laquelle le magma remonte à la surface, et la partie visible (ici, un cône). La lave s'échappe par un cratère : c'est la « bouche » du volcan.

Le puy de Dôme (France)

Quand de la lave trop pâteuse pour s'écouler s'accumule dans la cheminée d'un volcan et à son point de sortie, elle crée un dôme : un volcan sans cratère.

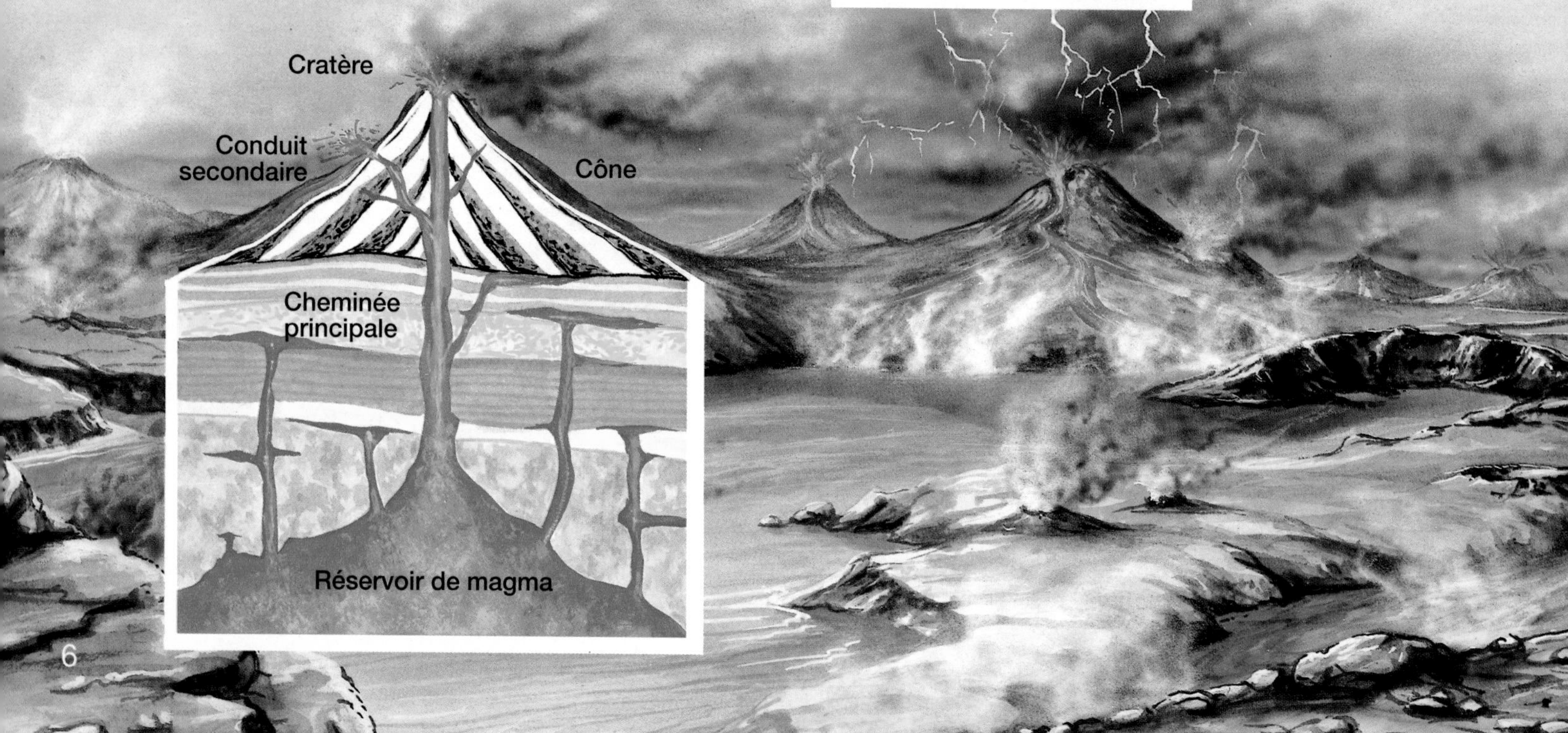

Lac de lave

Dans le cratère ouvert au sommet du volcan Nyiragongo, au Zaïre, le magma issu des entrailles de la Terre a formé en 1982 un lac de lave d'une température de 1 400 °C. Depuis, de gros bouillons agitent sa surface.

Le lent travail de l'érosion

Un neck est la cheminée durcie d'un volcan qu'avec le temps, l'érosion a dégagée.

Une chapelle a été construite au Xe siècle au sommet de ce neck de 82 m de haut, situé à Saint-Michel l'Aiguilhe, en France. 268 marches permettent aux touristes d'y accéder.

Le réveil du Hellgafell

On le croyait éteint depuis longtemps, il n'était qu'endormi ! Le volcan islandais Hellgafell, localisé juste derrière la petite ville d'Heimaey, s'est réveillé en 1973, après plus de 50 siècles de sommeil !

.es débuts de la vie

;ans volcans, il n'y aurait pas d'êtres vivants sur 'erre, affirment aujourd'hui tous les scientifiques. y a 4,5 milliards d'années, la surface de notre ›lanète était recouverte de volcans en éruption. ;'est leur activité qui a apporté, sous forme de gaz ›t de vapeur d'eau, l'oxygène que nous respirons, ınsi que l'eau des océans, des lacs et des rivières.

Volcan extraterrestre

Il existe des volcans sur de nombreuses planètes. Avec ses 25 000 m d'altitude, le mont Olympe, sur Mars, est trois fois plus haut que l'Everest, notre plus grande montagne.

OÙ NAISSENT LES VOLCANS ?

Autrefois, les Romains croyaient que Vulcain, le dieu du Feu, avait sa forge sous l'île de Vulcano (qui a donné le mot « volcan »). Quand Vulcain travaillait, l'île tremblait et le feu jaillissait du volcan. En fait, les volcans ne naissent pas n'importe où, mais en des points précis de l'écorce terrestre, là où de longues fractures la sillonnent. Ainsi, à la manière d'un puzzle, la surface de la Terre est divisée en 12 plaques, dites tectoniques. C'est à l'endroit où ces plaques se séparent ou se heurtent, entraînées par les courants du magma sur lequel elles flottent, que naissent la plupart des volcans et des tremblements de terre.

La Terre, un immense puzzle

Les plaques tectoniques sont de gigantesques morceaux de croûte terrestre qui se déplacent sur le magma visqueux. Certaines soutiennent deux océans, d'autres contiennent un océan et un continent, ou deux continents. Les flèches indiquent le sens de leur déplacement.

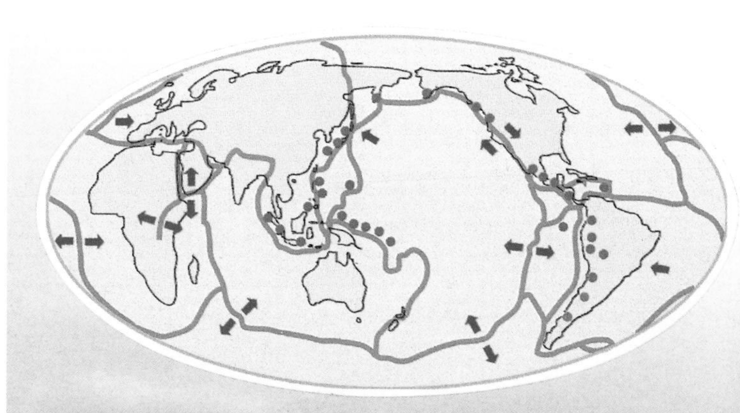

La Ceinture de feu du Pacifique *(en rouge) suit la jointure des plaques océaniques et continentales Elle compte de nombreux volcans actifs.*

Point chaud

Qu'est-ce qu'un geyser ?

C'est une source d'eau bouillante, chauffée par le magma, qui jaillit de façon intermittente à la surface de la Terre. Signes d'une activité volcanique, les geysers peuvent atteindre la hauteur d'un immeuble de 40 étages (120 m) ! Le parc naturel de Yellowstone, aux États-Unis, en compte plus de 200.

À Yellowstone, le « Vieux Fidèle » projette son eau pendant 5 minutes puis se repose une petite heure ; il se manifeste ainsi, inlassablement, depuis 1878 !

Un point chaud

C'est un panache de magma qui, tel un chalumeau, perce la plaque se déplaçant au-dessus de lui. Comme il reste fixe, une chaîne de volcans se crée au fil du temps.

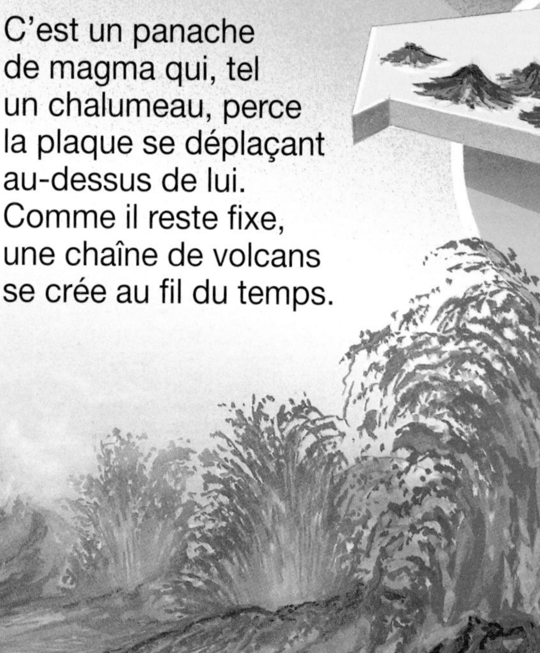

ıvre sur la Ceinture de feu

ı Japon, les volcans sont très actifs. Dans
sud du pays, les enfants vont à l'école casqués
ɔur éviter d'éventuelles projections volcaniques.
es abris ont été construits tous les 200 m.

Un volcan vénéré

Située sur des lignes de grandes fractures, l'Indonésie est un pays de volcans. Une fois par an, sur l'île de Java, la population locale se dirige vers le cratère du Bromo, un volcan très actif, pour y lancer des offrandes. Elle espère ainsi se protéger de certaines éruptions très dangereuses.

Qu'est-ce qu'un rift ?

C'est un fossé qui se crée quand deux plaques s'éloignent l'une de l'autre. Lorsqu'il s'agit de deux plaques océaniques, le magma s'épanche et vient remplir le rift.

Rift océanique

Zone de subduction

Plateau de basalte

Rift continental

La subduction

Quand deux plaques se rencontrent, l'une glisse lentement sous l'autre, créant une importante activité volcanique et sismique. C'est ce que l'on appelle le « phénomène de subduction ».

D'étranges plateaux

Parfois, une fissure déchire l'écorce terrestre, loin de la limite des plaques. La lave s'épanche, recouvrant de vastes régions. Ce phénomène, rare et inexpliqué, forme ce que l'on appelle des « plateaux de basalte » (le basalte est la roche issue de la lave fluide solidifiée).

Le piton de la Fournaise, sur l'île de la Réunion, est situé sur un point chaud. Il fait partie des 5 % de volcans qui ne naissent pas en bordure des plaques. Comme tous les volcans de point chaud, il est très actif. L'île de la Réunion elle-même est le sommet d'un gigantesque volcan né il y a plusieurs millions d'années au fond de l'océan Indien.

Quand deux plaques continentales s'écartent, une zone d'effondrement se crée, donnant naissance à des volcans. Il s'agit d'un rift continental.

DANS LE FEU DE L'ACTION

Quand la pression devient trop forte à l'intérieur d'un volcan, des gaz poussent le magma vers la surface ; il y a éruption.
Les volcans ne se comportent pas tous de la même façon.
Certains sont effusifs, la lave fluide s'en échappe facilement : on les appelle volcans rouges.
D'autres sont explosifs ; à l'intérieur, le magma visqueux emprisonne les gaz.
Quand la force de l'explosion est telle qu'elle pulvérise la roche et la lave en cendres et en poussières, le volcan est appelé volcan gris.

Une surprise « de taille » !

Selon l'intensité d'une éruption, un volcan peut atteindre une hauteur considérable en un temps record. En 1944, au Mexique, quelle ne fut pas la surprise d'un paysan voyant s'ouvrir au beau milieu de son champ une énorme fissure ! Le lendemain, un cône de 10 m de haut occupait son terrain. Moins d'un an après, le volcan atteignait la hauteur de la tour Eiffel et avait englouti deux villages sous des coulées de lave.

Non loin du volcan Kilauea, on peut voir ces drôles de fils dorés, semblables à des cheveux blonds. On les appelle « cheveux de Pelée ». Ce sont de petits fragments de lave qui, emportés par le vent à la sortie du cratère, se sont étirés en filaments.

Volcan rouge

Lorsque la lave est très fluide, elle jaillit telle une fontaine et retombe en formant de grandes coulées. C'est ce que l'on appelle une éruption hawaiienne, en référence aux volcans d'Hawaii, dans l'océan Pacifique.

La durée d'une éruption peut varier de quelques heures à... plusieurs milliers d'années !

Pour les populations locales, le volcan Kilauea, à Hawaii, est l'antre d'une déesse nommée Pelée (ci-dessus). Son mauvais caractère serait responsable de la grande activité du volcan.

Feu d'artifice

Au cours de certaines éruptions, le magma parvient à la surface sous une forme à la fois effusive (coulées de lave plutôt visqueuse) et explosive (projection de cendres et de gaz). La nuit, ces éruptions ressemblent à un feu d'artifice : la lave projetée dessine des paraboles dans le ciel. Ces éruptions sont dites stromboliennes, en référence à l'activité du Stromboli, un volcan italien.

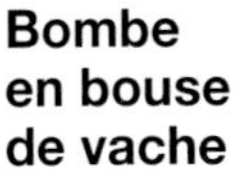

Bombe en bouse de vache

Bombe volcanique classique

Les bombes volcaniques (morceaux de lave projetés très haut dans le ciel) sont caractéristiques des éruptions stromboliennes. Suivant la consistance de la lave, elles présentent différents aspects. Quand un morceau de lave assez fluide retombe mollement sur le sol, il prend la forme d'une bouse de vache.

En Islande, les éruptions fissurales sont fréquentes.

Qu'est-ce qu'une éruption fissurale ?

Une fissure, longue de plusieurs kilomètres, s'ouvre dans le sol. Un rideau de lave liquide en jaillit. Les coulées recouvrent d'immenses surfaces, formant des volcans presque plats.

Le feu et la glace

Souvent, la neige et la glace s'accumulent au sommet des grands volcans endormis.
En éruption, ces volcans sont très dangereux, car, sous l'effet de la chaleur, la glace fond, formant d'énormes torrents de cendres, d'eau et de boue qui détruisent tout sur leur passage.

Ce volcan japonais, recouvert de neige, montre des signes d'activité.

Volcan gris

Un volcan gris n'a pas de coulées de lave. Le magma est si épais qu'il ne peut pas sortir. Il s'accumule dans la cheminée, emprisonnant les gaz. La pression augmente, jusqu'à explosion ; le magma et la roche sont réduits en cendres et en poussières.

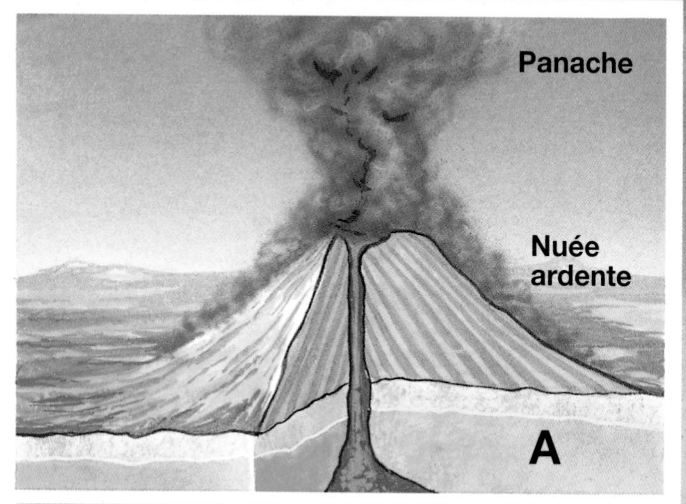

Qu'est-ce qu'une nuée ardente ?

C'est un nuage compact de gaz brûlants et de cendres incandescentes qui dévale les pentes d'un volcan à toute vitesse (entre 150 et 500 km/h !). Il se forme quand une colonne de cendres, trop lourde pour s'élever, retombe en avalanches (schéma A) ou quand le flanc d'un volcan explose (schéma B).

Le bruit produit par une explosion volcanique d'intensité moyenne est 10 fois supérieur à celui que fait un avion à réaction survolant une région à basse altitude.

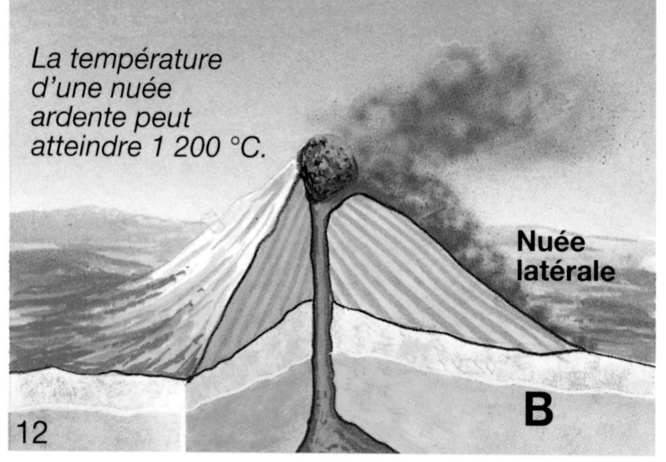

La température d'une nuée ardente peut atteindre 1 200 °C.

Panache plinien

C'est une gigantesque colonne de cendres qui est projetée très haut dans le ciel. Les cendres retombent sous la forme d'une fine pluie qui plonge les alentours dans l'obscurité et recouvre tout, parfois sous plusieurs mètres. Même une maison solide peut s'écrouler sous le poids des cendres volcaniques. (Plinien vient du nom de Pline le Jeune qui a parlé pour la première fois de ce genre d'éruption en décrivant celle du Vésuve en l'an 79.)

En 1980, aux États-Unis, le Saint Helens a craché un panache de cendres de plus de 20 km de haut. L'explosion, extrêmement violente, a décapité le sommet du volcan.

Éclairs au-dessus du volcan

On aperçoit parfois des éclairs au-dessus des volcans gris. Ils sont dus au frottement de minuscules particules de lave et de cendre qui produisent des décharges électriques.

LES COULÉES DE LAVE

Les coulées de lave visqueuse avancent très lentement, tel un tas d'éboulis poussé par un bulldozer. Les coulées de lave fluide sont rapides. Leur vitesse peut atteindre 100 km/h, mais la plupart ralentissent fortement après avoir franchi quelques centaines de mètres. La température d'une coulée de lave est dix fois plus élevée que celle de l'eau qui bout. Très vite, une mince croûte se forme en surface. En dessous, la lave reste brûlante et refroidit lentement. Quand un volcan émet plusieurs coulées, elles se superposent. Il faut alors trois siècles pour que la lave refroidisse complètement !

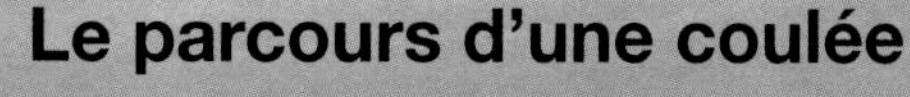

Le parcours d'une coulée

La lave fluide a la consistance du chocolat fondu. Elle dévale les flancs des volcans à toute vitesse comme un torrent. Une coulée de lave fluide peut parcourir jusqu'à 60 km !

Dès les premières minutes, la lave refroidit en surface, formant une couche solidifiée d'à peine quelques centimètres.

Parfois, les coulées de lave traversent des forêts. Lorsque leur niveau baisse, la lave se solidifie autour des arbres carbonisés, qui tombent en poussière. Il ne reste plus que des moules aux formes étranges, appelés « arbres de lave ».

Orgues de lave

Souvent, en refroidissant, l'intérieur des coulées de lave superposées se contracte et se fissure en grandes colonnes régulières. Dégagées par l'érosion, ces colonnes ressemblent à des orgues gigantesques, appelés orgues basaltiques.

Basaltique : vient du mot « basalte », une roche volcanique issue de la lave fluide solidifiée.

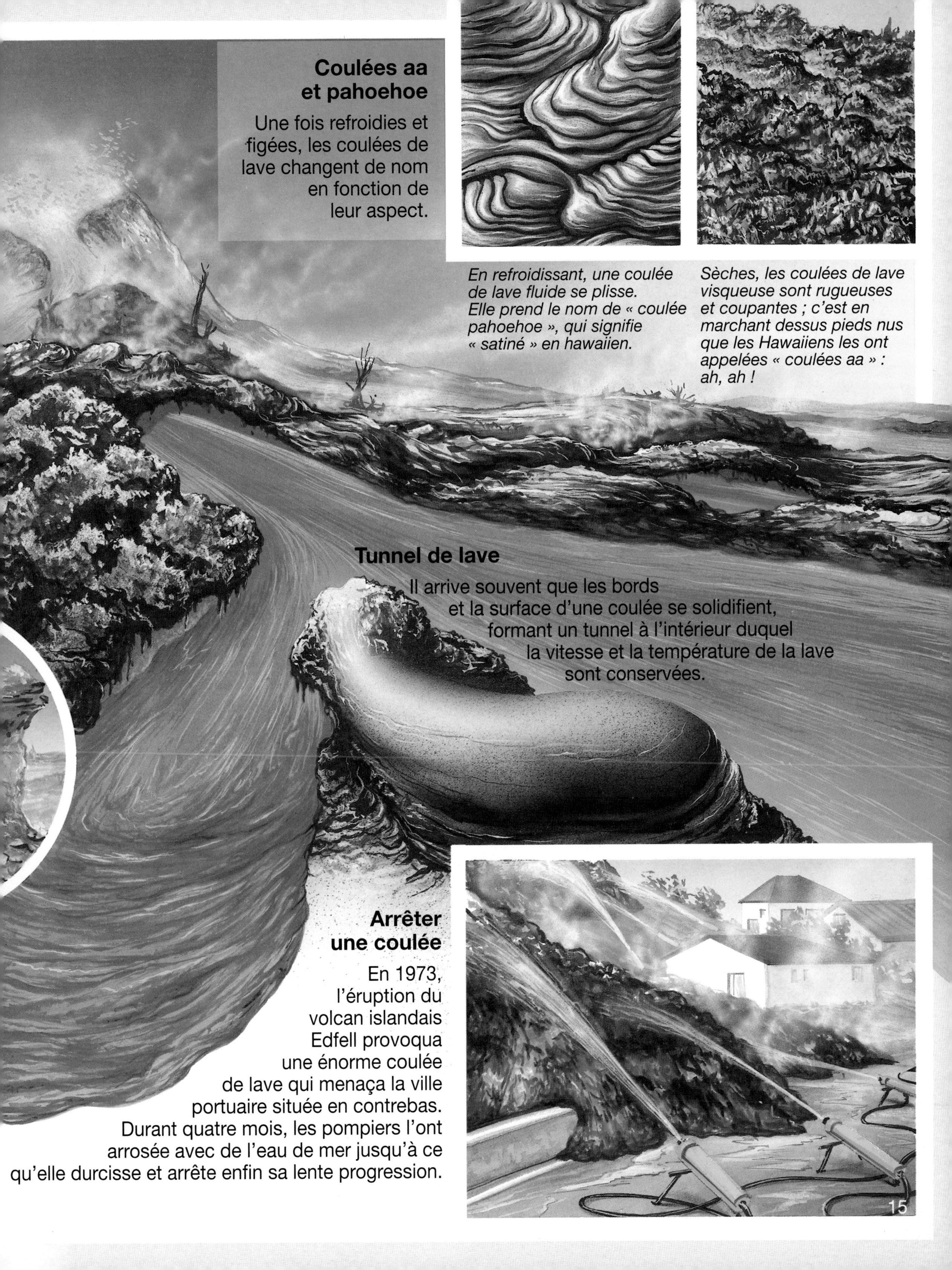

Coulées aa et pahoehoe

Une fois refroidies et figées, les coulées de lave changent de nom en fonction de leur aspect.

En refroidissant, une coulée de lave fluide se plisse. Elle prend le nom de « coulée pahoehoe », qui signifie « satiné » en hawaiien.

Sèches, les coulées de lave visqueuse sont rugueuses et coupantes ; c'est en marchant dessus pieds nus que les Hawaiiens les ont appelées « coulées aa » : ah, ah !

Tunnel de lave

Il arrive souvent que les bords et la surface d'une coulée se solidifient, formant un tunnel à l'intérieur duquel la vitesse et la température de la lave sont conservées.

Arrêter une coulée

En 1973, l'éruption du volcan islandais Edfell provoqua une énorme coulée de lave qui menaça la ville portuaire située en contrebas. Durant quatre mois, les pompiers l'ont arrosée avec de l'eau de mer jusqu'à ce qu'elle durcisse et arrête enfin sa lente progression.

LE FEU SOUS LA MER

Les volcans nés sous la mer sont dix fois plus nombreux que ceux nés sur les continents. Certains sont issus de la collision entre deux plaques océaniques, quand l'une plonge sous l'autre. D'autres naissent au-dessus d'un point chaud : c'est le cas des îles Hawaii, formées par des couches successives de lave pendant des millions d'années. Enfin, la plus grande partie de l'activité volcanique sous-marine a lieu au niveau des dorsales, immenses chaînes de montagnes, faites de lave durcie, qui serpentent sur le fond des océans.

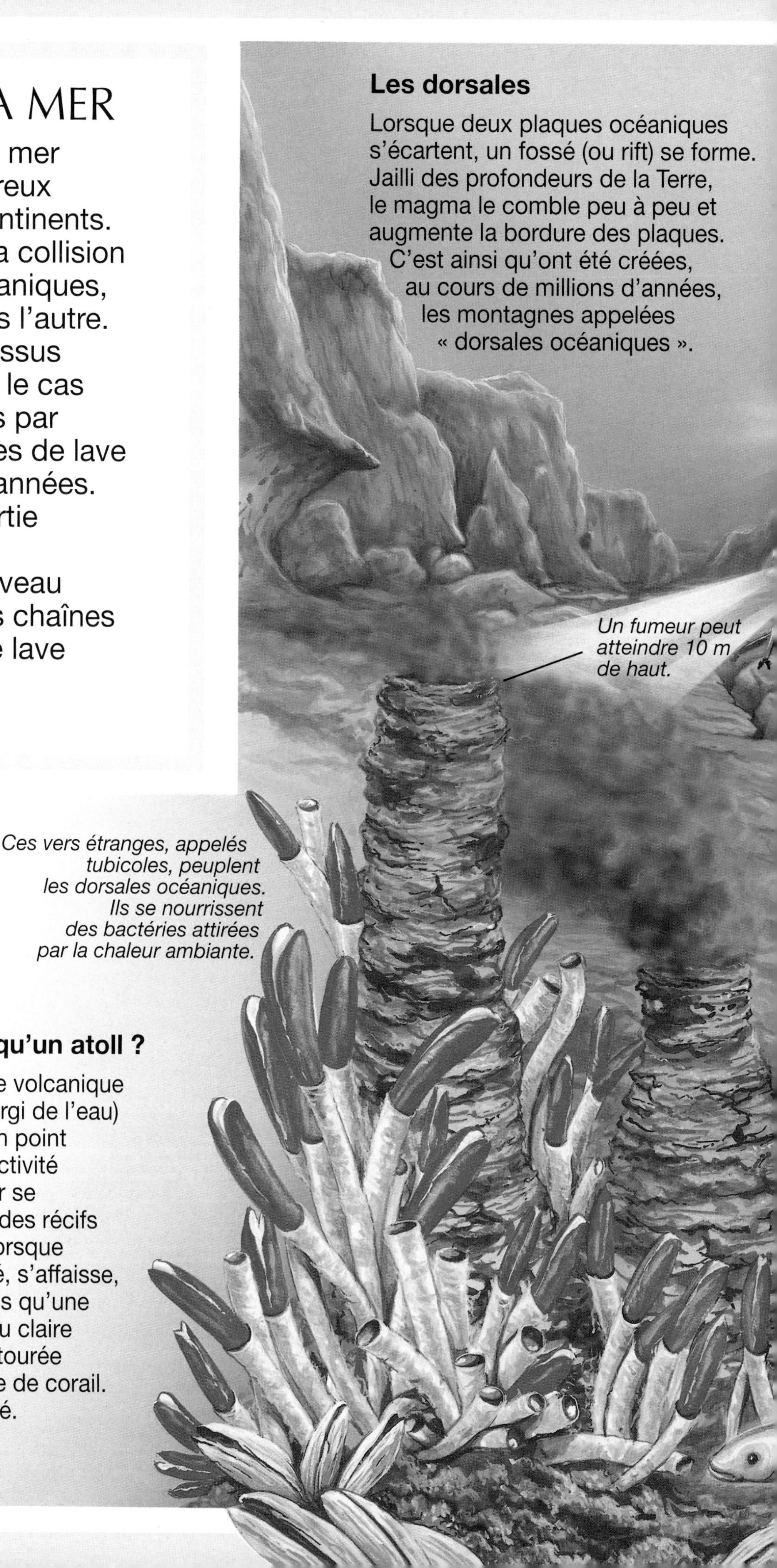

Les dorsales

Lorsque deux plaques océaniques s'écartent, un fossé (ou rift) se forme. Jailli des profondeurs de la Terre, le magma le comble peu à peu et augmente la bordure des plaques. C'est ainsi qu'ont été créées, au cours de millions d'années, les montagnes appelées « dorsales océaniques ».

Un fumeur peut atteindre 10 m de haut.

Ces vers étranges, appelés tubicoles, peuplent les dorsales océaniques. Ils se nourrissent des bactéries attirées par la chaleur ambiante.

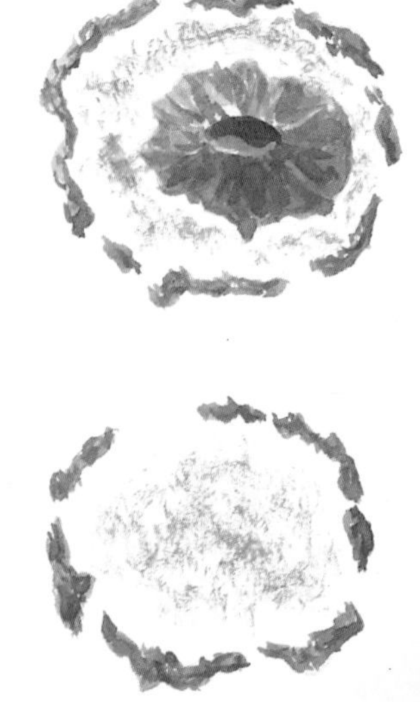

Qu'est-ce qu'un atoll ?

Quand une île volcanique (un volcan surgi de l'eau) s'éloigne d'un point chaud, son activité cesse. Autour se développent des récifs de coraux. Lorsque le volcan, usé, s'affaisse, il ne reste plus qu'une étendue d'eau claire (ou lagon) entourée d'une barrière de corail. Un atoll est né.

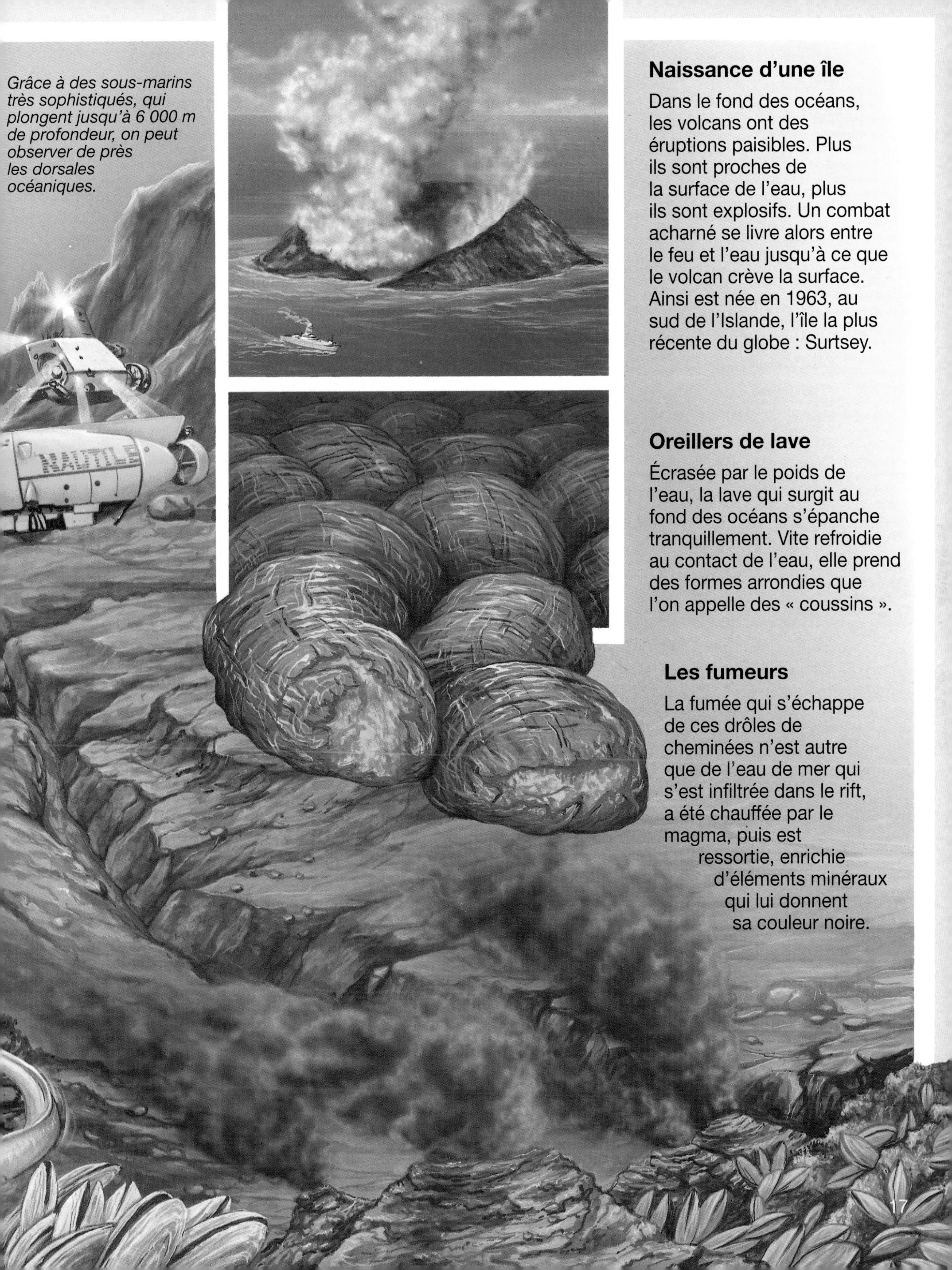

Grâce à des sous-marins très sophistiqués, qui plongent jusqu'à 6 000 m de profondeur, on peut observer de près les dorsales océaniques.

Naissance d'une île

Dans le fond des océans, les volcans ont des éruptions paisibles. Plus ils sont proches de la surface de l'eau, plus ils sont explosifs. Un combat acharné se livre alors entre le feu et l'eau jusqu'à ce que le volcan crève la surface. Ainsi est née en 1963, au sud de l'Islande, l'île la plus récente du globe : Surtsey.

Oreillers de lave

Écrasée par le poids de l'eau, la lave qui surgit au fond des océans s'épanche tranquillement. Vite refroidie au contact de l'eau, elle prend des formes arrondies que l'on appelle des « coussins ».

Les fumeurs

La fumée qui s'échappe de ces drôles de cheminées n'est autre que de l'eau de mer qui s'est infiltrée dans le rift, a été chauffée par le magma, puis est ressortie, enrichie d'éléments minéraux qui lui donnent sa couleur noire.

DES ÉRUPTIONS MARQUANTES

En 186 avant J.-C., l'explosion du Santorin, en Grèce, provoqua la chute de toute une civilisation. C'est comme si le mont Blanc, la plus haute montagne d'Europe, avait été réduit en poussières ! La préhistoire connut des éruptions encore plus gigantesques ; certains chercheurs leur attribuent d'ailleurs la disparition des dinosaures. En effet, lorsque les cendres volcaniques sont projetées très haut dans le ciel, elles font le tour du globe en voilant le soleil, ce qui entraîne une chute importante des températures.

1883 : l'explosion du Krakatoa

Située entre les îles de Java et de Sumatra, en Indonésie, l'île volcanique de Krakatoa dormait depuis 200 ans quand elle explosa et s'effondra sous l'eau, créant une vague gigantesque, ou « tsunami », qui noya 36 000 personnes. Les cendres du volcan atteignirent la stratosphère et firent 6 fois le tour de la Terre. En Europe (1) et dans le nord-est des États-Unis (5), il neigea en plein été. Le bruit provoqué par l'explosion fut entendu à 4 000 km de là, en Australie (4), ainsi qu'en Afrique, à Madagascar (3).

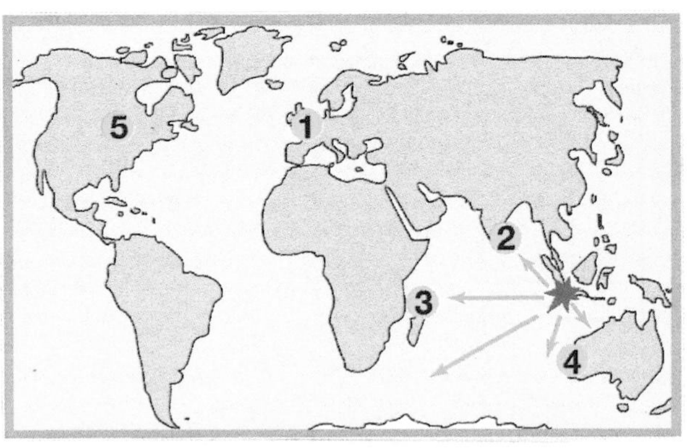

En Angleterre (1), les particules volcaniques troublèrent l'image des astres au point de provoquer d'étonnants « couchers de soleil volcaniques ».

Le tsunami engendré par l'explosion du Krakatoa atteignit 22 m de haut et déferla à plus de 600 km/h le long des côtes de Java et de Sumatra, engloutissant 163 villages. Traversant les océans, il détruisit les ports de Perth en Australie (4), de Calcutta en Inde (2) et fut signalé en France, sur les côtes bretonnes... à 18 000 km de son lieu d'origine !

Pompéi sous les cendres

Avant son réveil en l'an 79 de notre ère, personne ne savait que le Vésuve, montagne paisible et verdoyante qui dominait la cité de Pompéi, était en fait un volcan. Quand il entra en éruption, au mois d'août, à 10 h du matin, un énorme nuage de cendres s'éleva dans le ciel à plus de 20 000 m d'altitude, avant de retomber sur Pompéi, plongeant la ville dans l'obscurité. La gigantesque explosion fit trembler la terre et s'écrouler les habitations. En 3 heures, tout fut fini ! 2 000 personnes périrent brûlées ou asphyxiées sous une pluie de pierres et de cendres incandescentes.

Des corps à jamais figés

Les habitants de Pompéi furent ensevelis sous 4 m de cendres. En refroidissant et en durcissant, la cendre, mêlée à l'eau de pluie, s'est figée sur les corps qui, peu à peu, se sont décomposés. C'est en découvrant leur empreinte dans le sol, au XVIIIe siècle, que des archéologues eurent l'idée de remplir les cavités avec du plâtre pour obtenir des moules. Ils purent ainsi reconstituer les derniers instants des victimes de Pompéi.

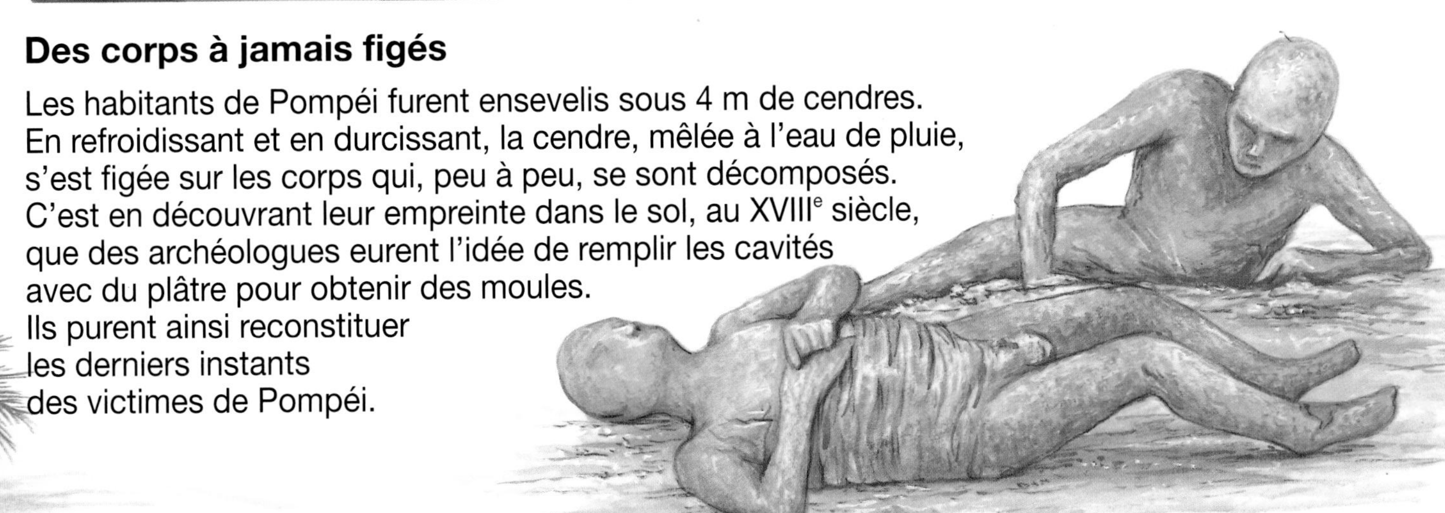

Nuée meurtrière

Le 8 mai 1902 au matin, les habitants de Saint-Pierre de la Martinique furent réveillés par de violentes détonations qui provenaient de la montagne Pelée, le volcan dominant leur ville. Deux gigantesques nuages noirs s'en échappèrent. L'un d'eux s'éleva très haut dans le ciel ; l'autre, plus lourd, fondit sur Saint-Pierre à 160 km/h. Cette nuée ardente d'une température de plus de 1 000 °C fut l'une des plus meurtrières de tous les temps. Elle embrasa la ville et tua 36 000 personnes en 2 minutes !

Tous les moyens ont été mis en œuvre pour sauver les victimes d'Armero. Des organismes humanitaires du monde entier se sont mobilisés. Trois semaines après la catastrophe, on découvrait encore des survivants. Ici, un rescapé, qui s'était réfugié sur le toit de sa maison, est héliporté.

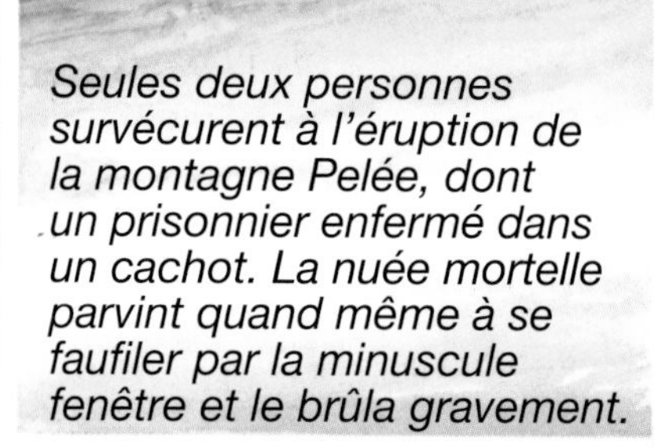

Seules deux personnes survécurent à l'éruption de la montagne Pelée, dont un prisonnier enfermé dans un cachot. La nuée mortelle parvint quand même à se faufiler par la minuscule fenêtre et le brûla gravement.

Le drame d'Armero aurait pu être évité ; en effet, 2 mois avant l'éruption du Nevado del Ruiz, des signes de réveil du volcan avaient été observés et signalés par les experts aux autorités.

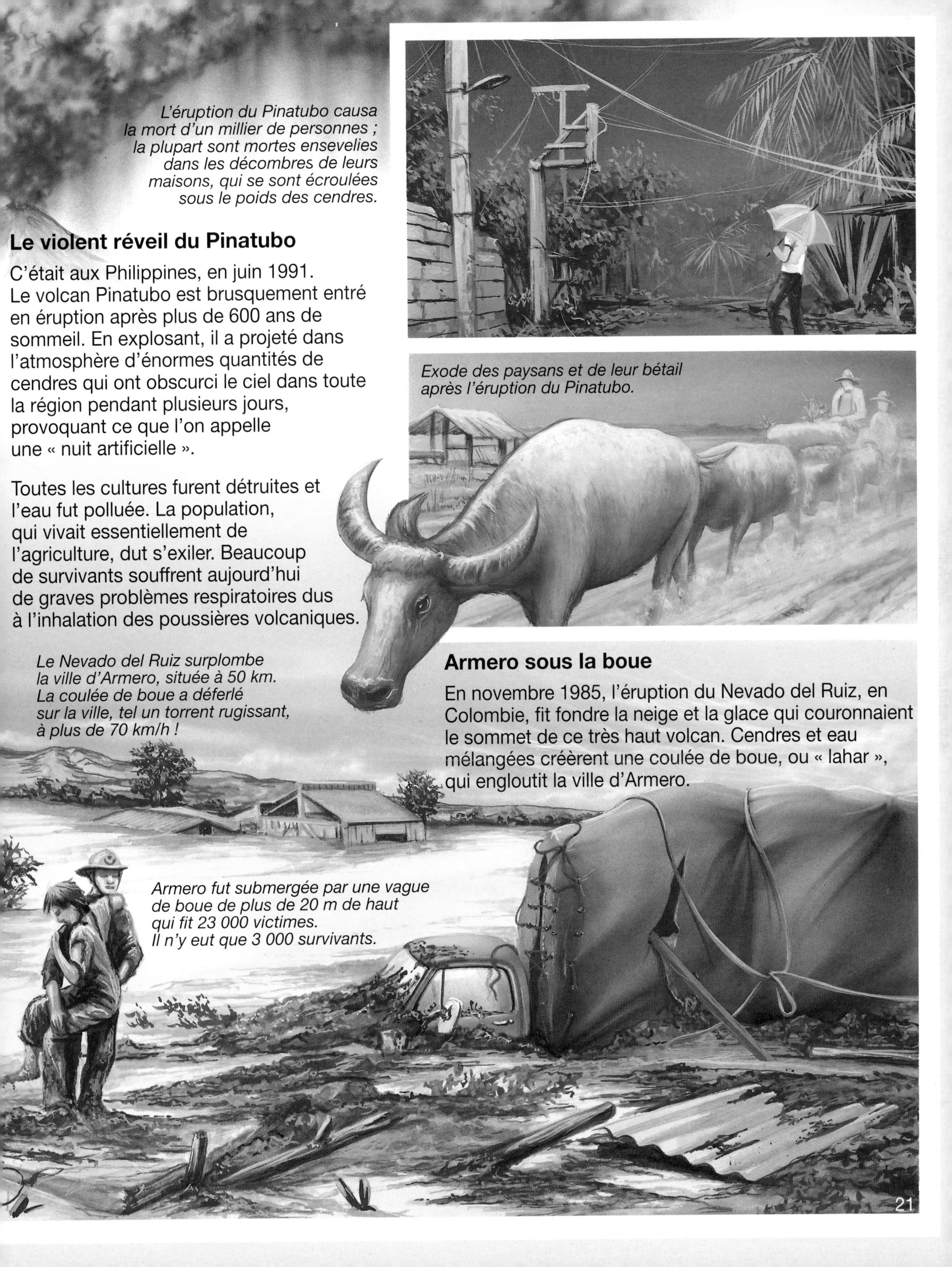

L'éruption du Pinatubo causa la mort d'un millier de personnes ; la plupart sont mortes ensevelies dans les décombres de leurs maisons, qui se sont écroulées sous le poids des cendres.

Le violent réveil du Pinatubo

C'était aux Philippines, en juin 1991. Le volcan Pinatubo est brusquement entré en éruption après plus de 600 ans de sommeil. En explosant, il a projeté dans l'atmosphère d'énormes quantités de cendres qui ont obscurci le ciel dans toute la région pendant plusieurs jours, provoquant ce que l'on appelle une « nuit artificielle ».

Toutes les cultures furent détruites et l'eau fut polluée. La population, qui vivait essentiellement de l'agriculture, dut s'exiler. Beaucoup de survivants souffrent aujourd'hui de graves problèmes respiratoires dus à l'inhalation des poussières volcaniques.

Exode des paysans et de leur bétail après l'éruption du Pinatubo.

Le Nevado del Ruiz surplombe la ville d'Armero, située à 50 km. La coulée de boue a déferlé sur la ville, tel un torrent rugissant, à plus de 70 km/h !

Armero sous la boue

En novembre 1985, l'éruption du Nevado del Ruiz, en Colombie, fit fondre la neige et la glace qui couronnaient le sommet de ce très haut volcan. Cendres et eau mélangées créèrent une coulée de boue, ou « lahar », qui engloutit la ville d'Armero.

Armero fut submergée par une vague de boue de plus de 20 m de haut qui fit 23 000 victimes. Il n'y eut que 3 000 survivants.

LE VOLCANOLOGUE

Il étudie et surveille les volcans pour tenter de prévoir leurs éruptions. L'émanation de gaz, la terre qui tremble, l'élargissement des fissures du sol sont autant de signes pouvant annoncer le réveil d'un volcan ; ils sont dus à la progression du magma vers la surface. Dans le monde, certaines régions à risque sont équipées d'observatoires permettant un suivi quotidien des volcans ; d'autres sites disposent d'instruments de contrôle automatiques, reliés par satellite aux observatoires. Les volcans endormis depuis longtemps ne bénéficient quant à eux d'aucune surveillance. Leur réveil est souvent à l'origine de grandes catastrophes.

Un carnet très précieux

Le carnet de notes est l'outil indispensable du volcanologue. À l'intérieur, il note toutes ses observations (activité du volcan au jour le jour, détail des éruptions, température de la lave...) et fait de nombreux croquis.

Drôle de robot !

Le robot (ci-contre) passe le plus clair de son temps dans des cratères très profonds où l'homme ne peut descendre. Là, il pratique des analyses de gaz et de lave, permettant une meilleure connaissance des volcans, et donc une meilleure prévention !

La tenue du volcanologue

Pour travailler, le volcanologue porte une combinaison spéciale qui lui permet de s'approcher à moins d'un mètre d'une coulée de lave de plus de 1 000 °C. Contre les retombées de blocs (gros morceaux de lave durcie), il porte sur la tête un heaume antichoc.

Ce volcanologue prend la température d'une coulée de lave à l'aide d'un thermocouple (thermomètre électrique qui ne fond pas).

Dans les zones sensibles, le géodimètre à rayon laser détecte et mesure avec précision le moindre gonflement d'un volcan : un rayon laser est envoyé sur une cible placée sur le flanc du volcan, puis renvoyé au géodimètre.

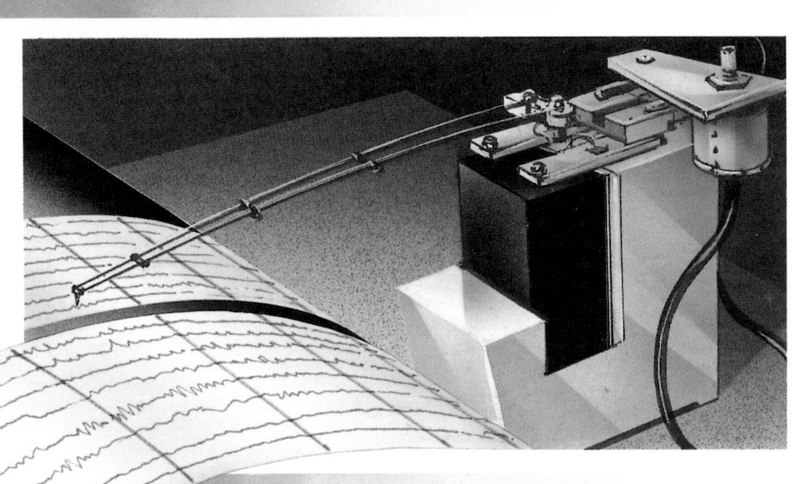

Relié à des appareils placés tout autour d'un volcan, le sismographe permet d'obtenir sur papier un relevé d'activité sismique et de déceler ainsi tout tremblement du sol pouvant annoncer une éruption.

Dans les zones de grande activité volcanique, l'extensomètre détecte et enregistre le moindre écartement d'une faille. L'information est aussitôt transmise à l'observatoire.

ROCHES ET PAYSAGES VOLCANIQUES

Les roches volcaniques (appelées aussi « roches éruptives ») naissent du jaillissement de la lave en surface et de son refroidissement plus ou moins lent. On distingue deux grands groupes : les pyroclastites, morceaux de lave, petits ou gros, qui ont été projetés dans l'atmosphère à la suite d'une explosion (bombes volcaniques par exemple), et les roches comme le basalte, l'obsidienne, la rhyolite, issues d'écoulements de lave. L'étude des roches volcaniques et des reliefs sculptés par les éruptions fournit de précieux renseignements sur le passé d'un volcan ou d'une région.

Maisons de lave

En Cappadoce, une région située au centre de la Turquie, les hommes ont construit des habitations dans les laves érodées (c'est-à-dire sculptées par l'érosion) d'un ancien volcan, le mont Erciyes.

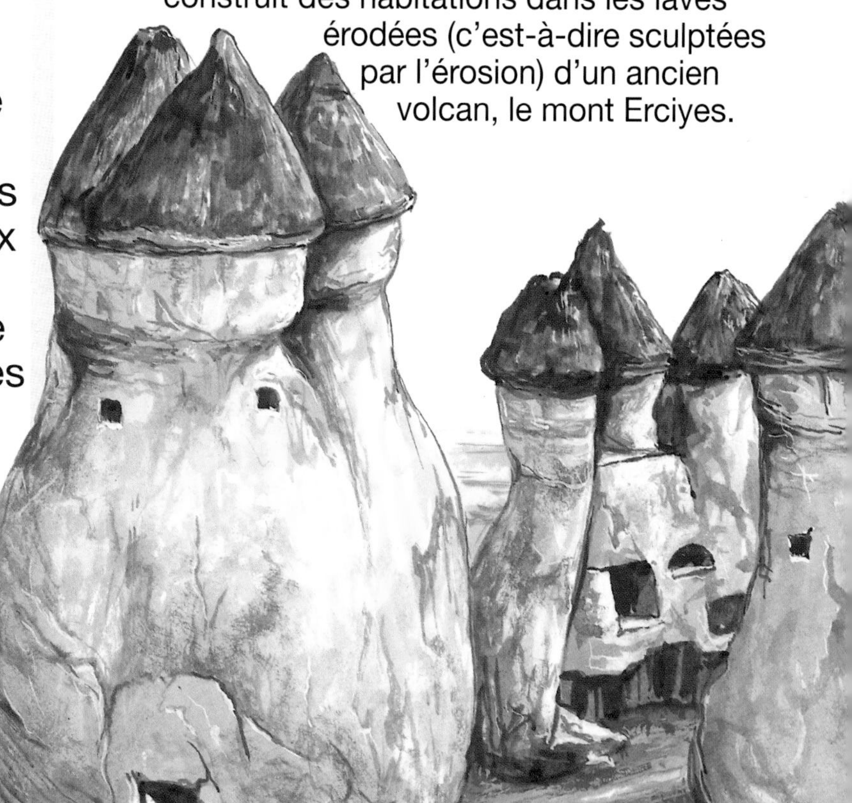

Obsidienne

Cette roche volcanique d'un noir vitreux provient d'une lave visqueuse qui s'est épanchée lentement à la sortie d'un volcan. Pendant la préhistoire, les hommes l'utilisaient pour fabriquer des outils tranchants.

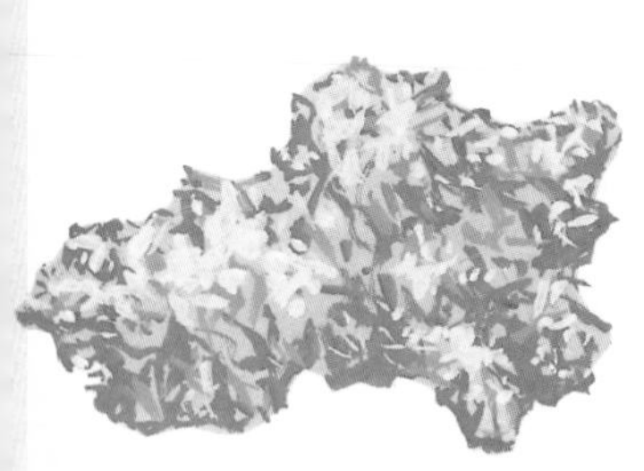

Roche transformée par les gaz

Quand un volcan s'endort, le magma à l'intérieur de l'édifice refroidit lentement ; des gaz s'en échappent parfois, provoquant une réaction chimique qui modifie la couleur des roches volcaniques environnantes.

Pierre précieuse

Les diamants se forment dans les profondeurs de la Terre. Parfois, à la faveur d'une éruption, ils remontent à la surface, incrustés dans les roches volcaniques.

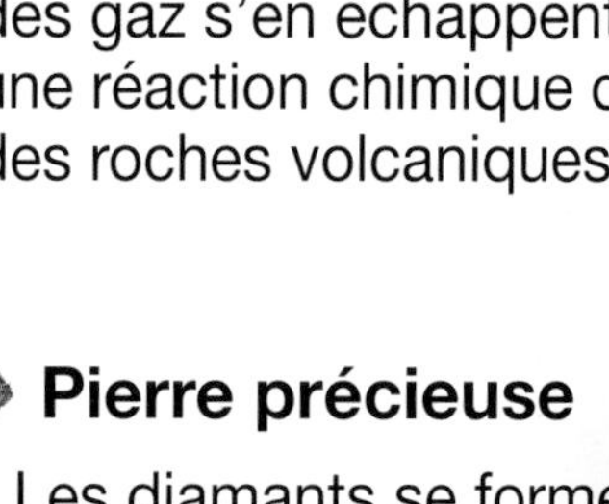

Mousse de lave

La pierre ponce est souvent comparée à de la mousse de lave solidifiée. Ce sont les nombreuses petites bulles de gaz contenues dans la lave qui lui donnent cet aspect d'éponge. Cette roche est si légère qu'elle flotte sur l'eau !

Prismatic Lake

Ce lac géant *(vu du dessus)* est situé dans la région volcanique de Yellowstone, aux États-Unis. Ses eaux sont chauffées par un immense réservoir de magma situé à seulement 6 km sous terre. Ses couleurs extraordinaires sont dues aux algues qui y prolifèrent et à la nature des roches volcaniques.

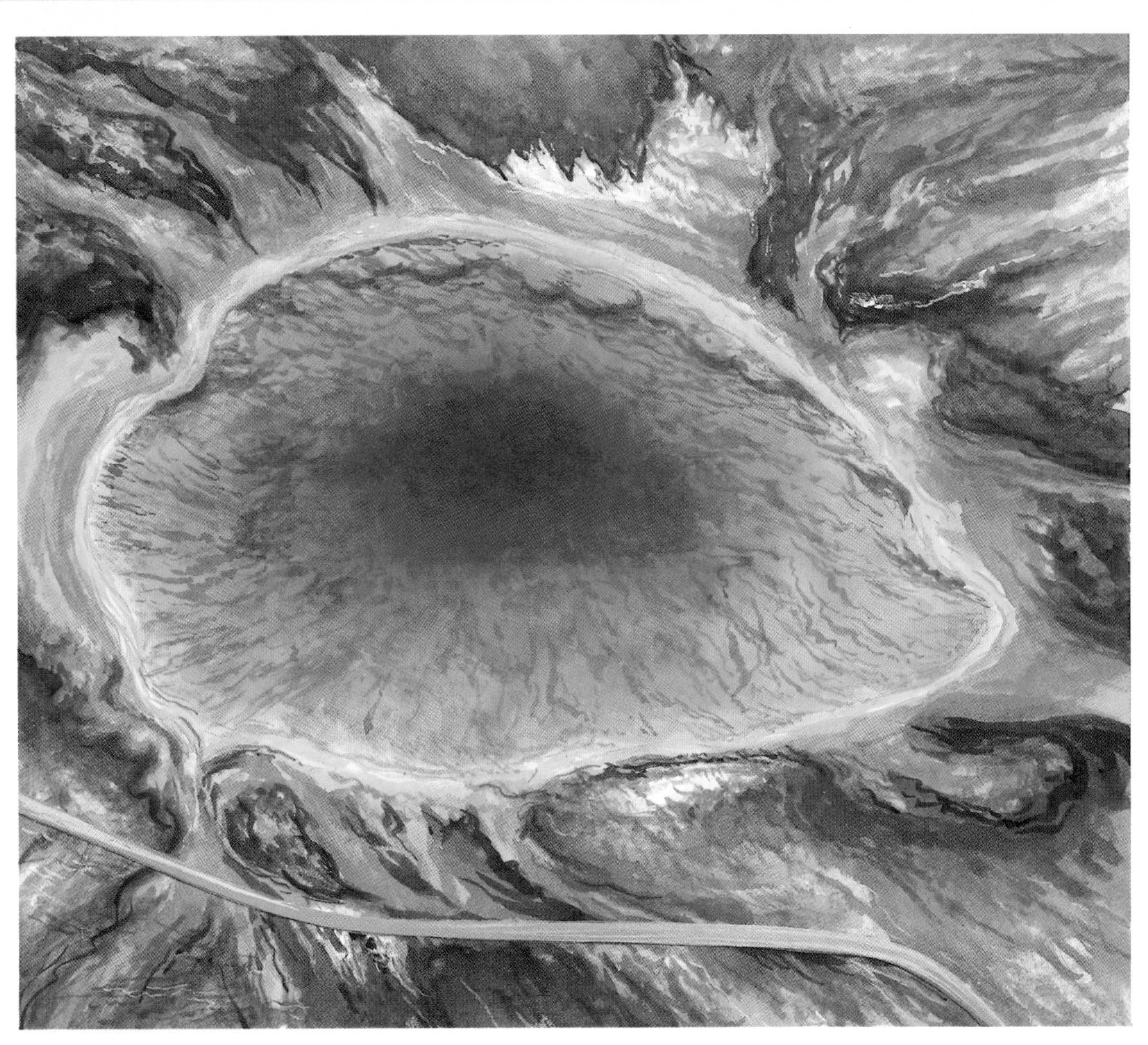

Le Prismatic Lake attire des visiteurs du monde entier. Une route a été aménagée qui permet de le longer.

Un paysage étonnant

Dans la région vallonnée de Landmannalaugar, en Islande, des couleurs étonnantes attirent l'œil du promeneur. Elles sont dues au lent refroidissement de coulées de lave très visqueuses. La roche volcanique qui en est issue est appelée rhyolite.

Les petits cônes qui émergent du cratère ont été formés par des projections de lave bouillonnante.

Lave blanche

L'Ol Doyno Lenghaï, en Tanzanie, est le seul volcan au monde dont la lave devient blanche en refroidissant. Cette couleur, qui donne au cratère un aspect lunaire, est due à la faible température de la lave (moins de 500 °C) et à sa composition unique : elle ne contient pas de silice, un minéral généralement présent.

DES VOLCANS UTILES

On accuse beaucoup les volcans d'être meurtriers. Or, s'ils causent la mort d'environ 500 personnes par an, ils en font vivre plus de 300 millions grâce aux produits de leurs éruptions. Par exemple, les cendres volcaniques projetées régulièrement et en petites quantités rendent le sol très fertile et permettent le développement d'une agriculture intensive. Pour produire de l'électricité et du chauffage, l'énergie géothermique utilise quant à elle les eaux d'infiltration chauffées par le magma, qui jaillissent parfois en surface sous forme de geysers, de sources chaudes ou de fumerolles (jets de vapeur).

L'énergie des volcans

À Svartsengi (Islande), la centrale géothermique pompe l'eau chauffée dans les profondeurs de la Terre par l'activité volcanique pour le chauffage des serres et des maisons et fournir de l'électricité. Le surplus des eaux chaudes, riches en minéraux, coule dans un grand bassin où l'on peut se baigner en toute saison.

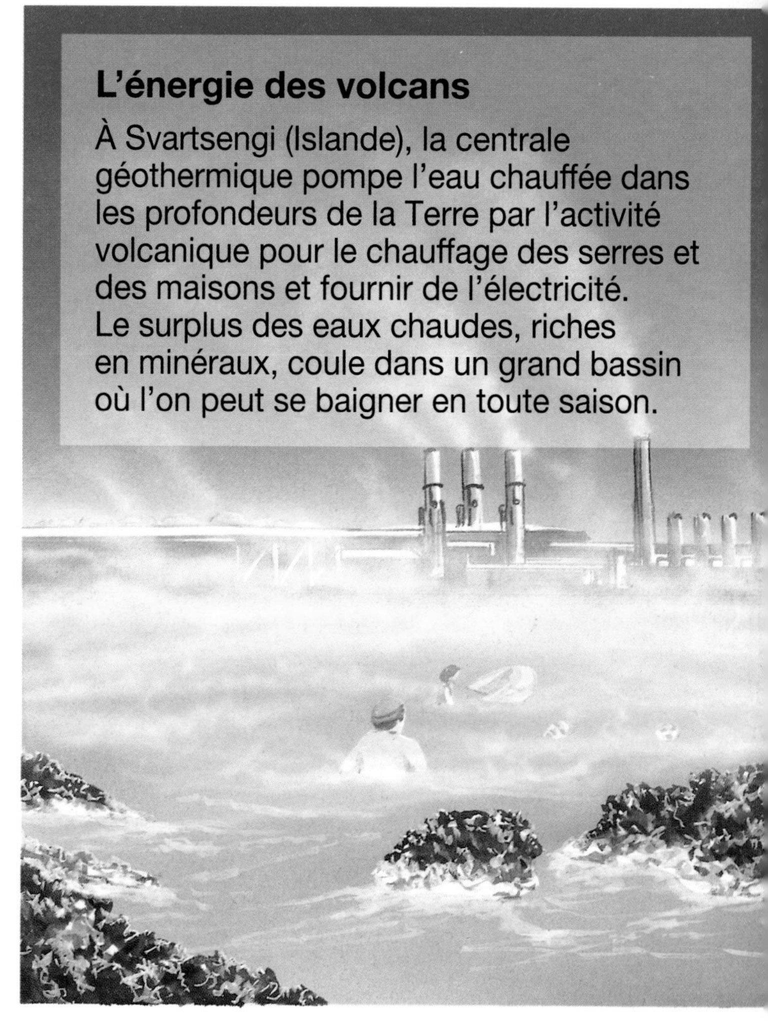

Le soufre

Il est employé dans l'industrie pour durcir le caoutchouc des pneus ou blanchir le sucre, et entre dans la composition de certains médicaments. Il provient des gaz libérés par les fumerolles, qui se sont condensés en refroidissant. Les zones volcaniques riches en soufre sont appelées « solfatares » (en italien : mines de soufre).

Le volcan Kawah Idje en Indonésie, produ 10 t de soufre par jou Les cristaux so transportés dar de grands panier

La pierre de Volvic

Beaucoup de roches volcaniques sont utilisées pour la construction de routes et de bâtiments. En Auvergne, une région de France où dorment de nombreux volcans, la pierre de Volvic, de couleur grise ou noire, est exploitée depuis des siècles.

Culture de figuiers à Lanzarote.

De l'engrais tombé du ciel

À Lanzarote, une île de l'archipel des Canaries, les cendres projetées par les volcans saupoudrent régulièrement le sol et le rendent très productif : les cultures poussent deux fois plus vite qu'ailleurs. Pour les protéger du vent qui souffle fort, les hommes ont creusé dans la cendre de grands entonnoirs et les ont bordés de murets de lave séchée.

Beppu, ville thermale

Dans cette ville située au cœur du Japon, la vapeur jaillit de partout. L'eau chaude, issue de l'activité volcanique en profondeur, a permis la création de 800 établissements de bains publics, une tradition au Japon. Ces bains attirent de nombreux touristes.

Située à Beppu, cette source chaude, appelée la « Mare sanglante du Diable », doit son étonnante couleur rouge sang à la richesse de ses eaux en fer. Des barrières ont été installées tout autour pour la sécurité des milliers de touristes venus chaque année du monde entier pour la voir.

Sable bienfaisant

À Kiushu, au Japon, on soigne les malades atteints de rhumatismes (que leurs articulations font souffrir) en les ensevelissant dans du sable humide porté à une certaine température par la chaleur volcanique provenant du sous-sol.

LA MÉTÉO

Texte
Émilie BEAUMONT
Vincent JAGERSCHMIDT

Images
Vincent JAGERSCHMIDT

L'ATMOSPHÈRE

C'est une enveloppe gazeuse qui entoure la Terre et que l'attraction terrestre empêche de s'échapper dans l'espace. Elle est constituée de couches qui ont un rôle de filtre, arrêtant certains rayons du Soleil très dangereux et laissant passer ceux indispensables à la vie. Sans atmosphère, il n'y aurait pas de vie sur Terre, la température au sol serait de 80 °C le jour, et de - 140 °C la nuit. Le poids de l'atmosphère exerce une pression sur ce qu'elle recouvre : la pression atmosphérique, qui varie selon le temps et l'altitude. Ainsi, plus on est en hauteur (en montagne), moins la pression est importante : il y a moins d'air au-dessus de nous.

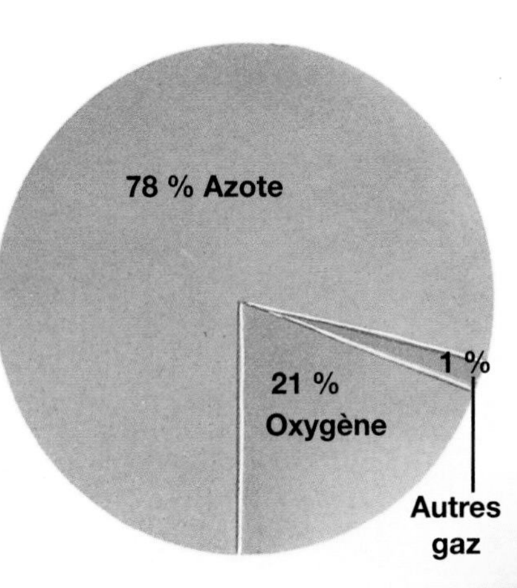

La composition de l'air
L'air que nous respirons est surtout composé d'azote et d'oxygène. Les autres gaz sont : le gaz carbonique, l'argon, le néon, l'hélium, le krypton, le xénon, le méthane, l'oxyde nitreux, l'ozone, l'hydrogène, et le radon.

Le premier baromètre
En 1643, Evangelista Torricelli plongea un tube de mercure dans un récipient rempli du même métal. Le mercure du tube descendit jusqu'à une hauteur de 760 mm, la pression de l'air au-dessus du récipient l'empêchant de s'écouler entièrement. Reproduite en plusieurs endroits, cette expérience montra la variation de pression selon l'altitude ou le changement de temps.

Le baromètre
Cet appareil indique la pression atmosphérique. Quand la pression augmente, l'aiguille s'oriente vers « beau temps ». Si la pression diminue, l'aiguille se dirige vers « mauvais temps ». L'unité de mesure de la pression atmosphérique est le bar ou l'hectopascal.

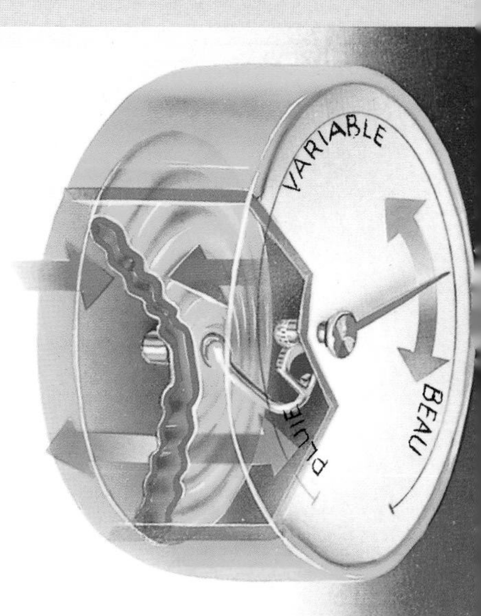

L'altimètre
L'altimètre fonctionne comme un baromètre, mais la graduation en pression est remplacée par une graduation en altitude.

Les couches de l'atmosphère
La troposphère. Elle mesure 8 km aux pôles et 17 km à l'équateur. Dans cette couche se trouve la majorité de l'air que nous respirons et se forme l'ensemble des phénomènes météorologiques : nuages, pluie, ouragan...
La stratosphère. Elle s'élève jusqu'à 50 km. La température, constante (- 50 °C) entre 25 et 30 km, diminue pour arriver à 0 °C vers 50 km. Elle filtre les rayons du Soleil.
La mésosphère. Située entre 50 et 80 km, elle est composée d'azote et d'oxygène en très petite quantité. La température oscille entre 0 °C et - 90 °C.
La thermosphère : Elle reçoit tous les rayons solaires, ce qui explique l'élévation de la température jusqu'à 2 000 °C.

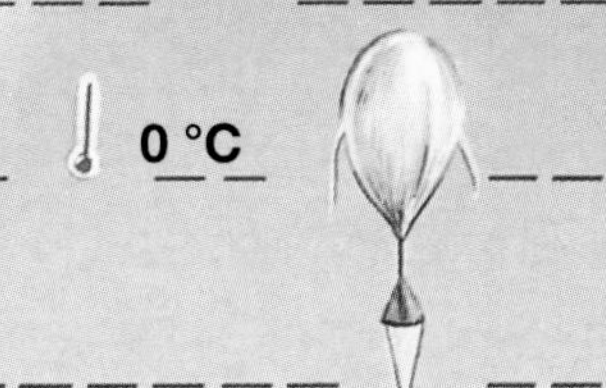
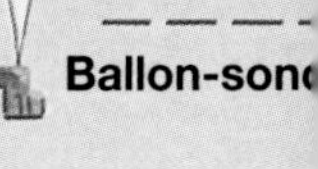
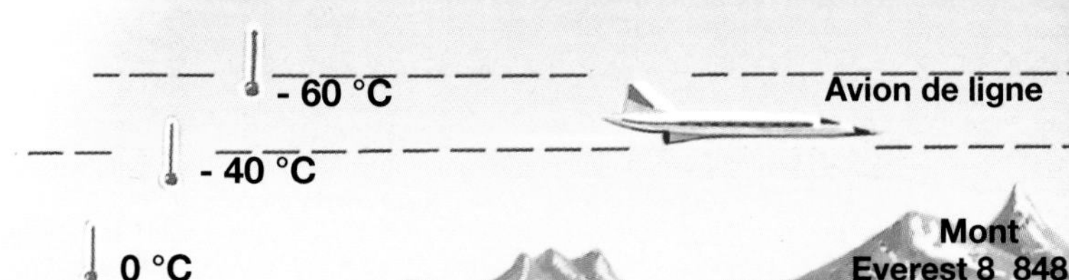

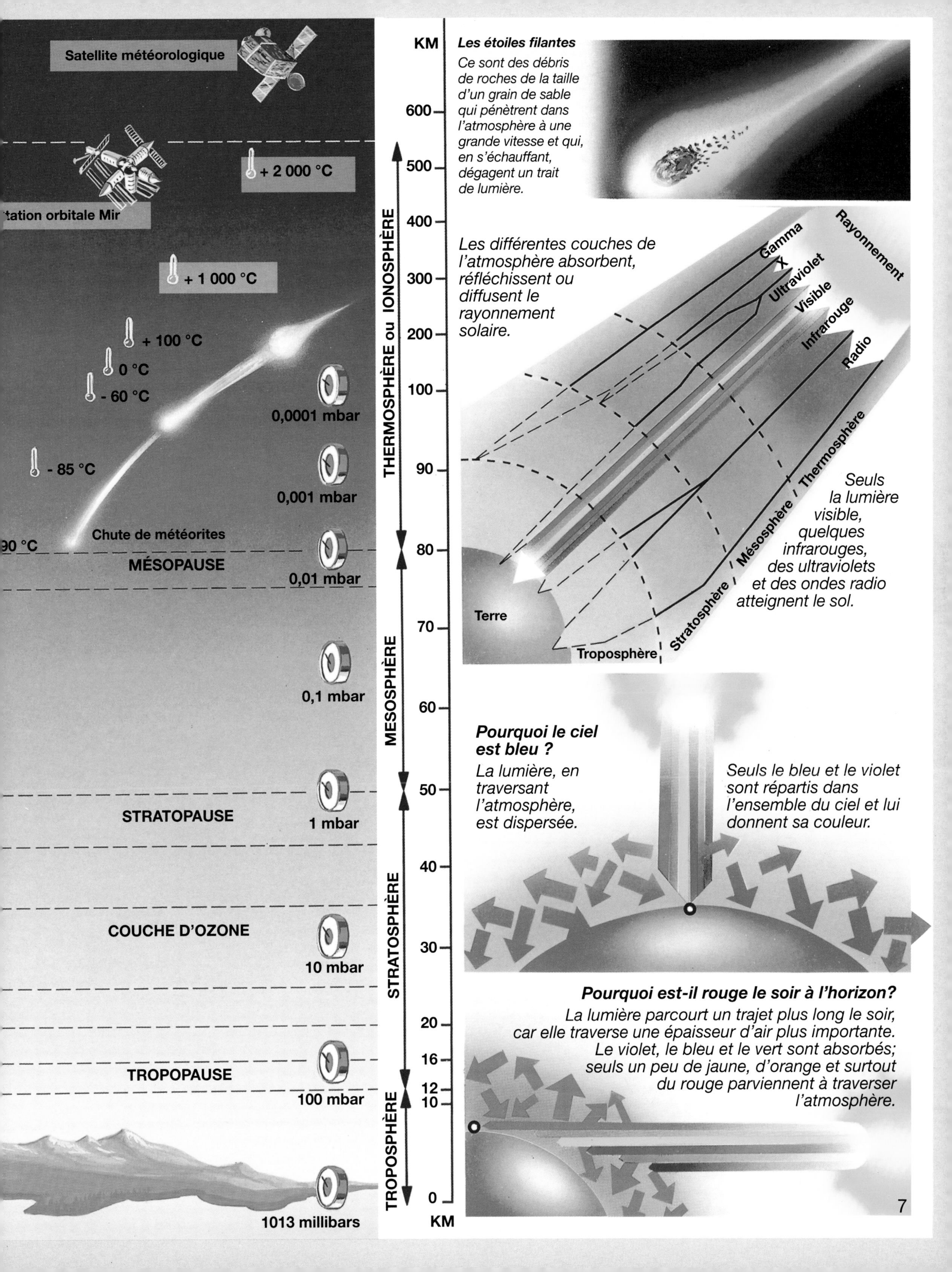
Satellite météorologique
tation orbitale Mir
+ 2 000 °C
+ 1 000 °C
+ 100 °C
0 °C
- 60 °C
- 85 °C
90 °C
Chute de météorites
MÉSOPAUSE
STRATOPAUSE
COUCHE D'OZONE
TROPOPAUSE
0,0001 mbar
0,001 mbar
0,01 mbar
0,1 mbar
1 mbar
10 mbar
100 mbar
1013 millibars
KM
THERMOSPHÈRE ou IONOSPHÈRE
MÉSOSPHÈRE
STRATOSPHÈRE
TROPOSPHÈRE
600
500
400
300
200
100
90
80
70
60
50
40
30
20
16
12
10
0
KM
Les étoiles filantes
Ce sont des débris de roches de la taille d'un grain de sable qui pénètrent dans l'atmosphère à une grande vitesse et qui, en s'échauffant, dégagent un trait de lumière.
Les différentes couches de l'atmosphère absorbent, réfléchissent ou diffusent le rayonnement solaire.
Rayonnement
Gamma
X
Ultraviolet
Visible
Infrarouge
Radio
Thermosphère
Mésosphère
Stratosphère
Troposphère
Terre
Seuls la lumière visible, quelques infrarouges, des ultraviolets et des ondes radio atteignent le sol.
Pourquoi le ciel est bleu ?
La lumière, en traversant l'atmosphère, est dispersée.
Seuls le bleu et le violet sont répartis dans l'ensemble du ciel et lui donnent sa couleur.
Pourquoi est-il rouge le soir à l'horizon?
La lumière parcourt un trajet plus long le soir, car elle traverse une épaisseur d'air plus importante. Le violet, le bleu et le vert sont absorbés; seuls un peu de jaune, d'orange et surtout du rouge parviennent à traverser l'atmosphère.

L'EAU DANS L'AIR

C'est parce que la Terre est très éloignée du Soleil que l'eau est présente sur notre planète. Toute l'eau des océans qui est passée dans l'atmosphère des milliers de fois retombe sous forme de pluie, de neige ou de grêle : c'est le cycle perpétuel de l'eau. Cette évaporation de l'eau est due à la chaleur du soleil. Quand le temps est clair, l'humidité de l'air est souvent plus élevée la nuit que le jour. En hiver, il fait généralement plus humide qu'en été. L'humidité présente dans l'air est très sensible aux changements de température.

La rosée

La nuit, le sol se refroidit. La vapeur d'eau se transforme en rosée quand la température dépasse 0 °C et en gelée blanche au-dessous de 0 °C.

La buée et le givre

Quand l'air est froid au-dehors, de la buée apparaît sur les vitres des maisons chauffées. Si l'air devient très froid, du givre se forme, dessinant des étoiles.

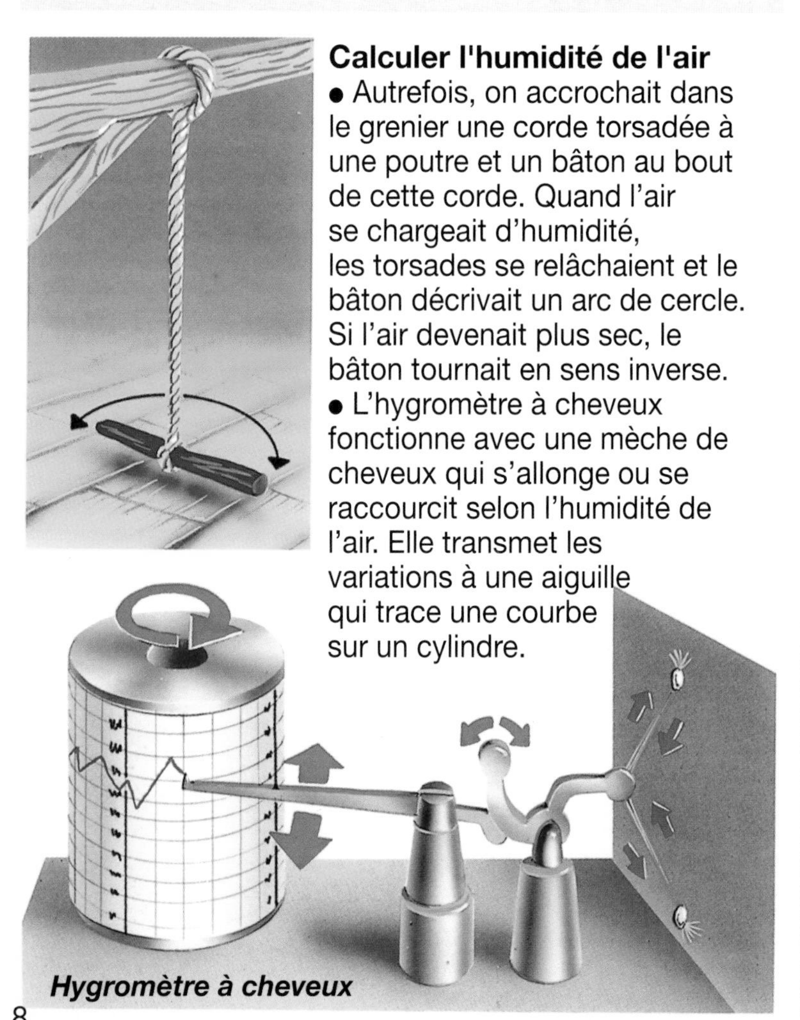

Calculer l'humidité de l'air

- Autrefois, on accrochait dans le grenier une corde torsadée à une poutre et un bâton au bout de cette corde. Quand l'air se chargeait d'humidité, les torsades se relâchaient et le bâton décrivait un arc de cercle. Si l'air devenait plus sec, le bâton tournait en sens inverse.
- L'hygromètre à cheveux fonctionne avec une mèche de cheveux qui s'allonge ou se raccourcit selon l'humidité de l'air. Elle transmet les variations à une aiguille qui trace une courbe sur un cylindre.

Hygromètre à cheveux

Le cycle de l'eau

L'eau s'évapore des océans grâce au soleil et devient de la vapeur d'eau. Lorsqu'elle se refroidit, elle se transforme en nuages. Les nuages, poussés par le vent, libèrent leur eau sous forme de pluie ou de neige. Cette eau retournera à la mer après un long voyage à travers les glaciers, les rivières et les nappes souterraines.

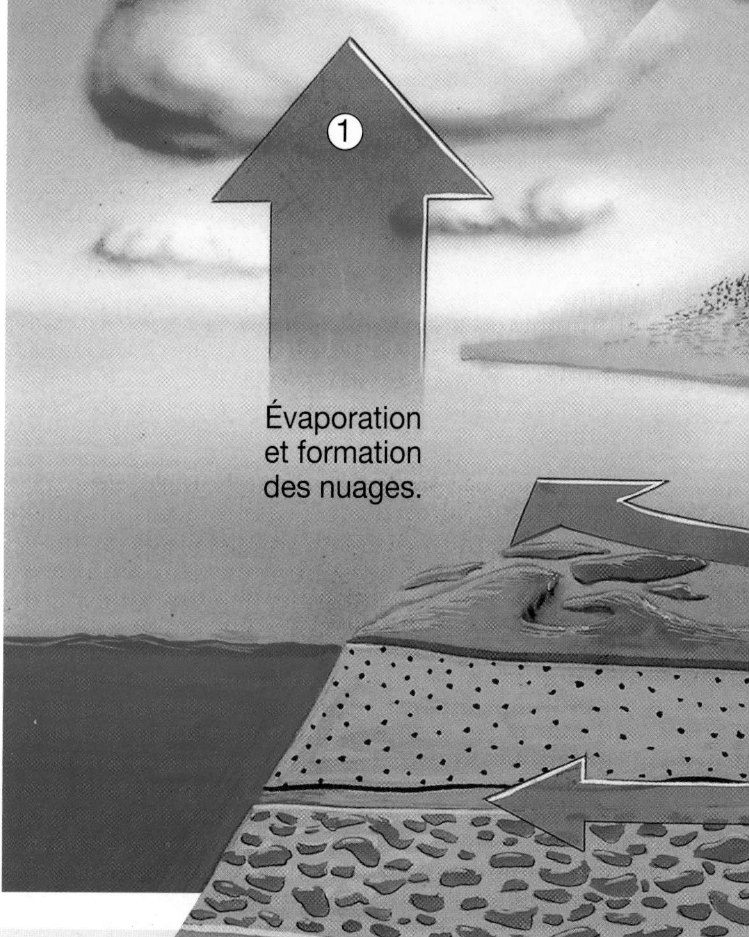
1
Évaporation et formation des nuages.

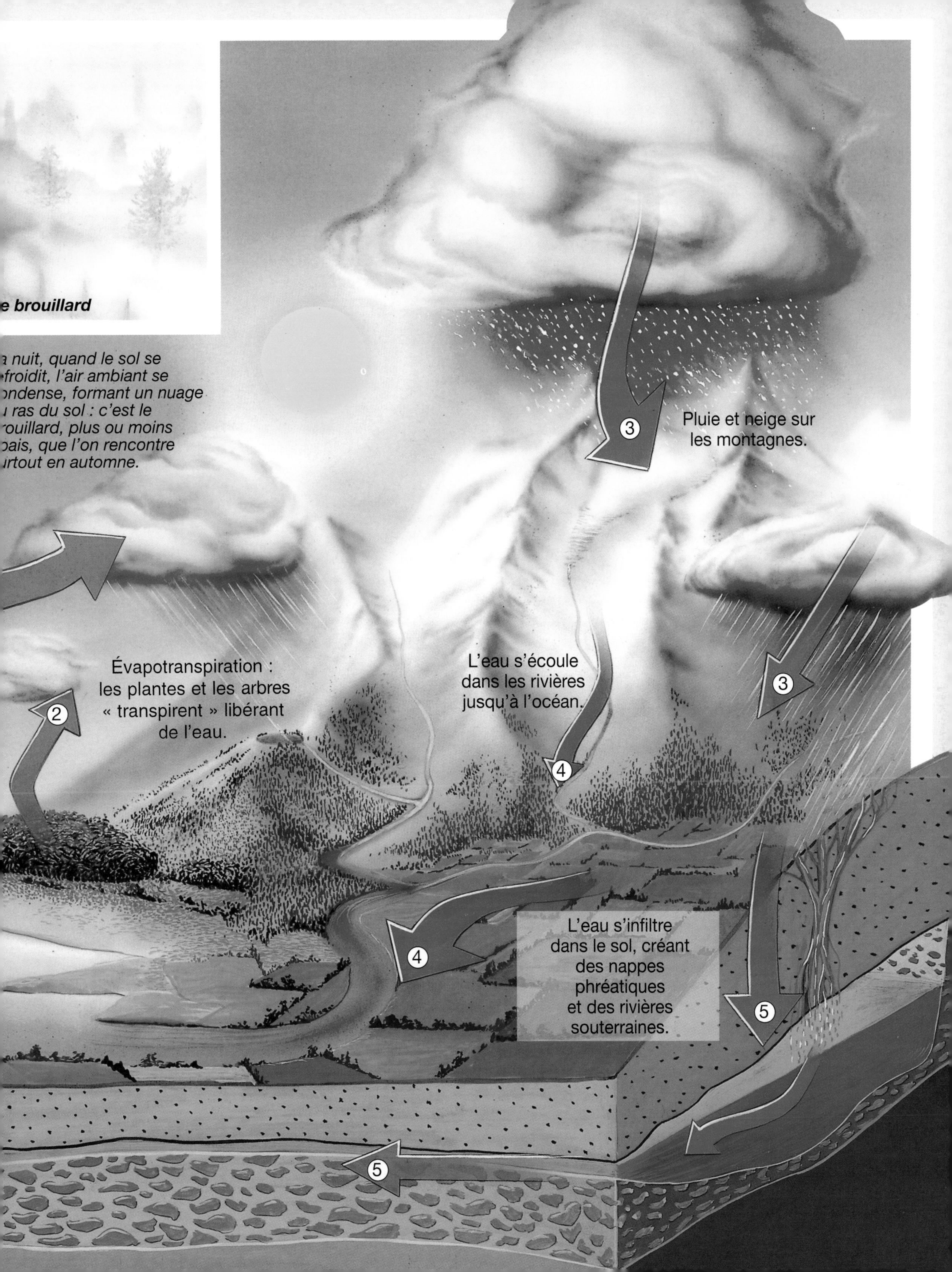

e brouillard
a nuit, quand le sol se froidit, l'air ambiant se ondense, formant un nuage ras du sol : c'est le rouillard, plus ou moins pais, que l'on rencontre urtout en automne.
Pluie et neige sur les montagnes.
3
Évapotranspiration : les plantes et les arbres « transpirent » libérant de l'eau.
2
L'eau s'écoule dans les rivières jusqu'à l'océan.
4
3
4
L'eau s'infiltre dans le sol, créant des nappes phréatiques et des rivières souterraines.
5
5

LES NUAGES

Ce sont des « objets volants » constitués surtout d'eau pure. Quand la vapeur d'eau contenue dans l'air se refroidit, elle se condense, formant de minuscules gouttelettes qui emprisonnent les particules de poussières industrielles et volcaniques ou les cristaux de sel marin présents dans l'atmosphère : un nuage est né. Ces gouttelettes sont très légères. Si elles sont dispersées, le nuage est très haut ; si elles s'accumulent et deviennent plus lourdes, le nuage se forme plus près du sol. C'est pourquoi on décrit les nuages selon leur altitude et selon leur forme.

La formation des nuages

1 • Le sol réchauffe l'air au-dessus de lui, projetant des cellules d'air chaud vers le haut.

2 • Ces cellules se refroidissent en montant et se dilatent. La vapeur d'eau se condense sur les particules de poussière ou sur les cristaux de sel marin.

3 • Le nuage se développe grâce à l'air chaud, chargé de vapeur d'eau, qui continue à venir du sol.

Voici une représentation des différents nuages indiquant leur altitude moyenne et leur forme générale.

① 5 000 à 10 000 m

3. Cirrocumulus :
couche mince composée de très petits nuages blancs.

③ **5 000 à 10 000 m**

⑤ **2 000 à 6 000 m**

4. Altocumulus :
couche de nuages blancs ou gris d'aspect ondulé ou en rouleaux.

④ **2 000 à 6 000 m**

⑦ **jusqu'à 2 000 m**

8. Nimbo-stratus :
couche nuageuse grise, d'aspect flou, provoquant des chutes de pluie ou de neige continues.

⑧ **2 000 à 6 000 m**

9. Stratus :
couche de nuages étalés généralement gris qui donnent de la bruine ou de la neige.

du sol à 2 000 m ⑨

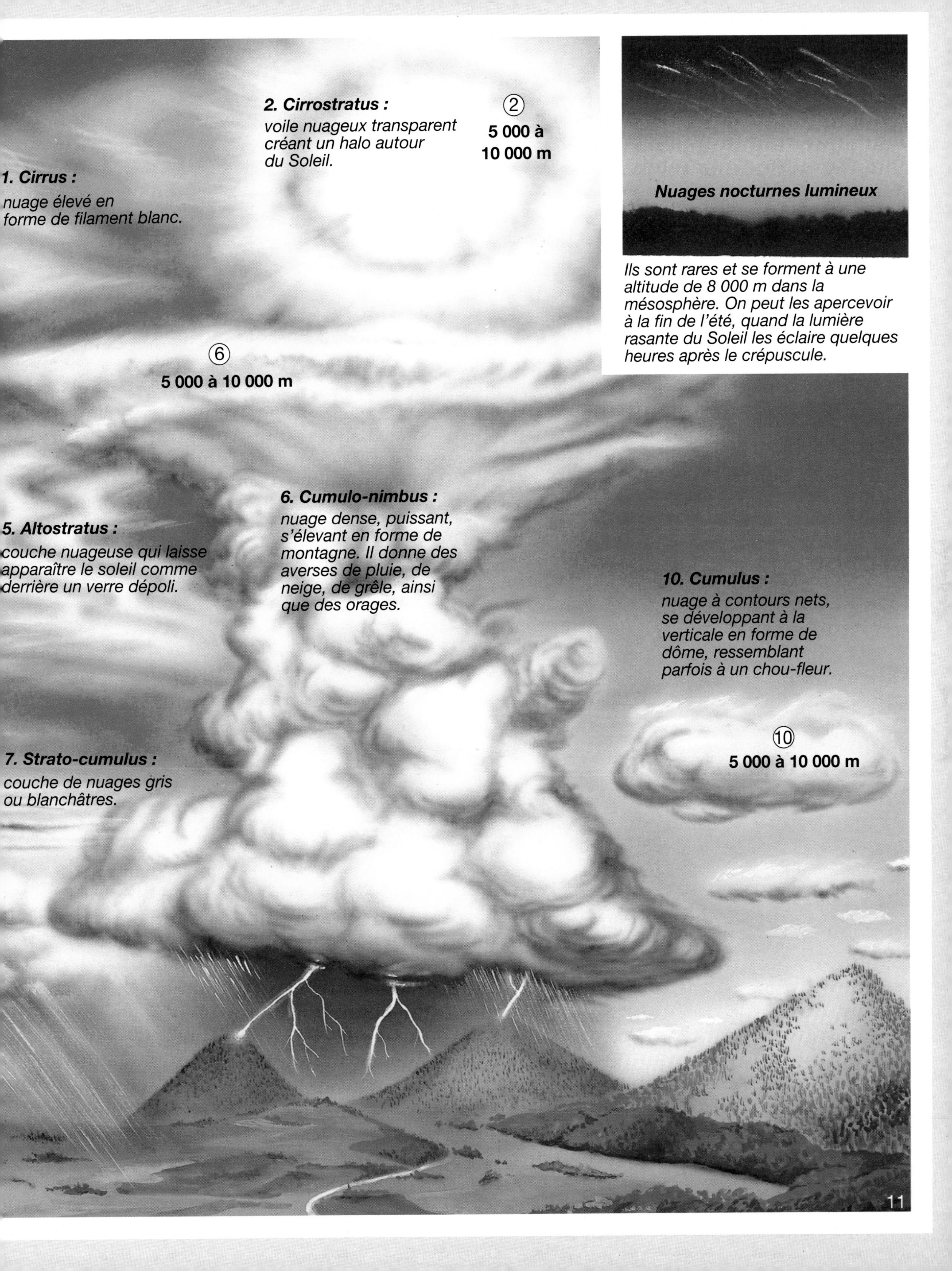

2. Cirrostratus :
voile nuageux transparent créant un halo autour du Soleil.
②
5 000 à 10 000 m
Nuages nocturnes lumineux
1. Cirrus :
nuage élevé en forme de filament blanc.
⑥
5 000 à 10 000 m
6. Cumulo-nimbus :
nuage dense, puissant, s'élevant en forme de montagne. Il donne des averses de pluie, de neige, de grêle, ainsi que des orages.
5. Altostratus :
couche nuageuse qui laisse apparaître le soleil comme derrière un verre dépoli.
10. Cumulus :
nuage à contours nets, se développant à la verticale en forme de dôme, ressemblant parfois à un chou-fleur.
⑩
5 000 à 10 000 m
7. Strato-cumulus :
couche de nuages gris ou blanchâtres.

Ils sont rares et se forment à une altitude de 8 000 m dans la mésosphère. On peut les apercevoir à la fin de l'été, quand la lumière rasante du Soleil les éclaire quelques heures après le crépuscule.

LES PRÉCIPITATIONS

À l'intérieur d'un nuage, les gouttelettes d'eau en mouvement s'entrechoquent. Elles se réunissent en gouttes assez lourdes pour tomber sur le sol : c'est la pluie. Il existe différentes sortes de précipitations : la bruine (fines gouttes qui tombent lentement), l'averse (pluie subite, brève et abondante) ; par temps plus froid : la grêle (caractérisée par des grains de glace qui peuvent être plus ou moins gros) et la neige, aux alentours de 0 °C. C'est grâce à toutes ces précipitations que la vie est possible sur la Terre. Sans eau, ni les êtres humains, ni les animaux, ni les plantes ne pourraient vivre.

Une masse nuageuse

Dans un système nuageux, les nuages apparaissent dans un ordre régulier :
- la tête, formée de cirrus, de cirrocumulus et de cumulus. Le temps y est encore beau ;
- le corps, formé de nimbo-stratus et d'altocumulu[s]. C'est une zone de pluies continues ;
- la traîne, les nuages s'y développent verticalement, apportant des averses et parfois des orages.

Une perturbation

Elle se définit par un temps instable, avec du vent et des précipitations créés par le contact entre deux masses d'air. Ci-dessous, l'air chaud (flèches oranges) vient à la rencontre de l'air froid (flèches bleues). L'air chaud passe par-dessus l'air froid en provoquant la formation de nuages qui s'enroulent autour d'eux-mêmes.

Les inondations

Les fortes précipitations, comme les orages ou les moussons, gonflent les rivières et les fleuves jusqu'à les faire déborder, entraînant de graves inondations. Dans le monde, c'est en Inde qu'ont lieu régulièrement les plus importantes d'entre ell[es].

La pluie et la neige se forment au départ de la même façon : *la vapeur d'eau se condense sur des noyaux minuscules, comme des poussières volcaniques ou des cristaux de sel marin, créant des gouttes qui constituent les nuages. C'est la température qui entraîne ensuite la transformation ou non des gouttelettes en flocons de neige.*

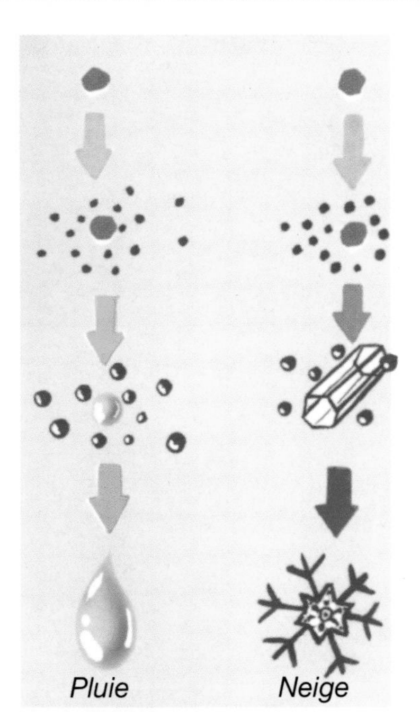

es cristaux de neige

neige est constituée de minuscules cristaux
glace, généralement en forme d'hexagone
d'étoile, rassemblés en flocons.
us les cristaux de neige sont différents,
r leur formation dépend de la température,
l'humidité, des courants atmosphériques...
tant de facteurs qui rendent chaque cristal
ique (ci-dessous, un échantillon de
istaux de neige).

La pluie en montagne

Entraînées par les vents, les masses d'air humide heurtent la montagne et se déversent en pluie ou en neige sur l'un des versants. La masse d'air qui passe sur l'autre côté est sèche, il n'y pas de précipitations, la végétation pousse mal.

es tempêtes de neige

lles peuvent provoquer la formation de gros amas
e neige, les congères, qui rendent la circulation très
ifficile. Certaines tempêtes de neige peuvent durer
lusieurs jours, isolant parfois des villages. Ce sont les
tats-Unis qui détiennent les records de chutes de neige.

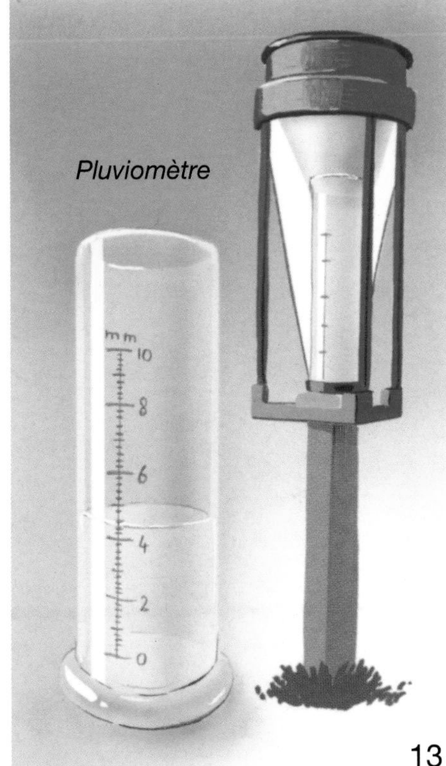

Le pluviomètre

L'eau de pluie est recueillie dans un vase appelé cylindre de mesure. On calcule ainsi la quantité d'eau tombée à un endroit précis. Le pluviomètre doit être placé assez haut pour que des éclaboussures ne viennent pas fausser le niveau.

LA TEMPÉRATURE ET LE VENT

Depuis très longtemps, les hommes ont été impressionnés par le vent. Certains le considéraient même comme un dieu qui manifestait ses colères quand il soufflait avec violence, détruisant tout sur son passage.
Le vent est en réalité un courant qui se crée à cause de la différence de température entre des masses d'air chaud et d'air froid.
Les températures sur Terre dépendent du Soleil et de la position de notre planète par rapport à lui : elles sont glaciales aux pôles et très chaudes à l'équateur.

La manche à air

Le vent gonfle la manche qui, en se dressant, indique la direction du vent.

Anémomètre à bras oscillant

Le vent pousse la boule métallique, dont la pointe se déplace sur une échelle indiquant la vitesse du vent

Anémomètre à rotation

Le vent fait tourner les coupelles métalliques, permettant de mesurer la vitesse du vent sur un cadran.

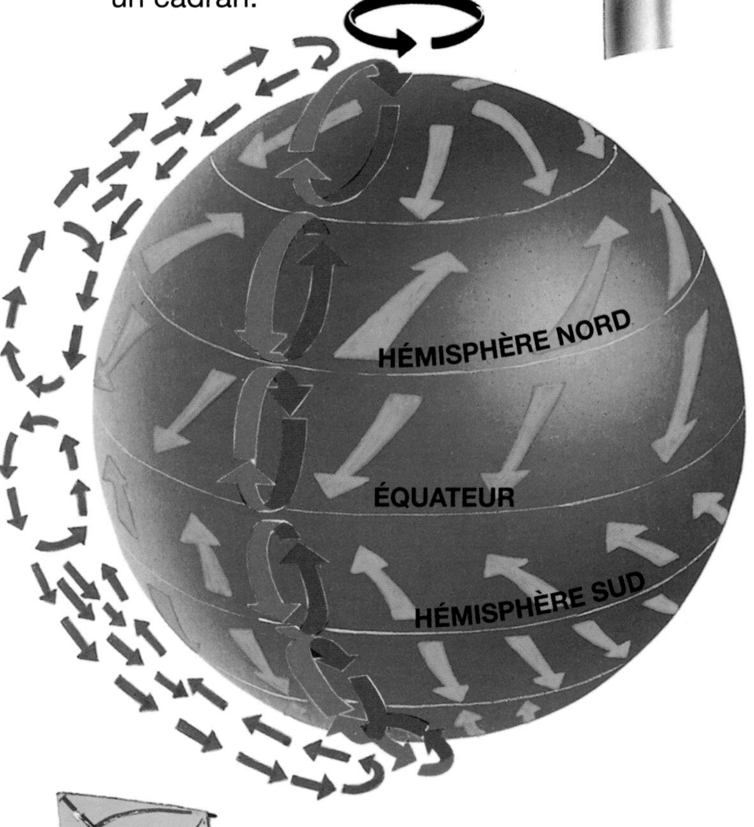

La circulation de l'air

Les vents dévient vers la droite dans l'hémisphère Nord et vers la gauche dans l'hémisphère Sud (flèches oranges).

L'air chaud des régions équatoriales s'élève et se dirige vers les pôles, puis redescend vers l'équateur en se réchauffant (flèches bleues).

L'air chaud monte, l'air froid descend, créant des zones de hautes et de basses pressions (flèches rouges).

Force 0

Force 3

Force 7

Le thermomètre

Ce thermomètre en forme de « U » permet de relever les températures (représentées par les traits bleus) maximales et minimales pendant une période donnée.

a girouette

a girouette se éplace dans sens du vent, permettant d'indiquer sa direction. Il y en a de plusieurs formes.

Lorsque l'air descend, la force exercée sur le sol forme une zone de hautes pressions. Quand cet air monte, la force est moins importante : on parle de basses pressions. L'air se déplace continuellement des hautes vers les basses pressions, donnant naissance aux vents.

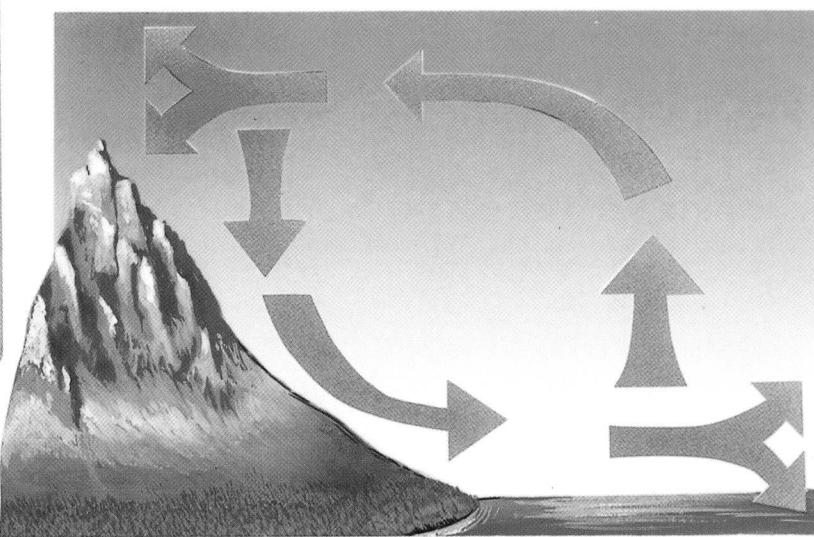

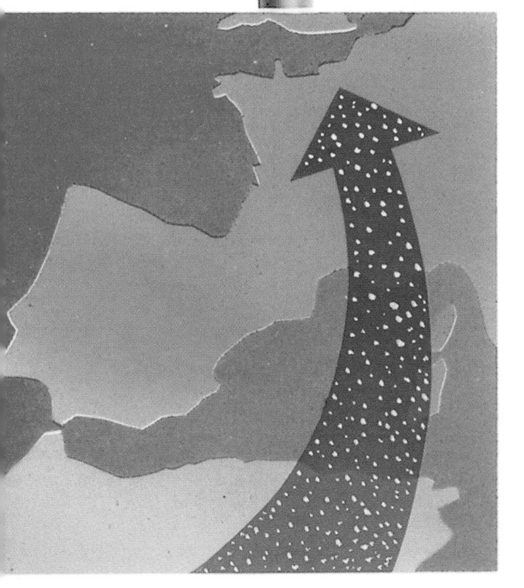

e sirocco, vent chaud et sec du Sahara, ansporte du sable et de la poussière sur e très longues distances. C'est à cause e cela que l'on trouve parfois du sable ur les voitures après la pluie, alors que on est loin d'une plage ou d'un désert.

La température

Voici des températures moyennes relevées au niveau de la mer et correspondant aux périodes, dans l'hémisphère nord, de l'hiver (1) et de l'été (2).

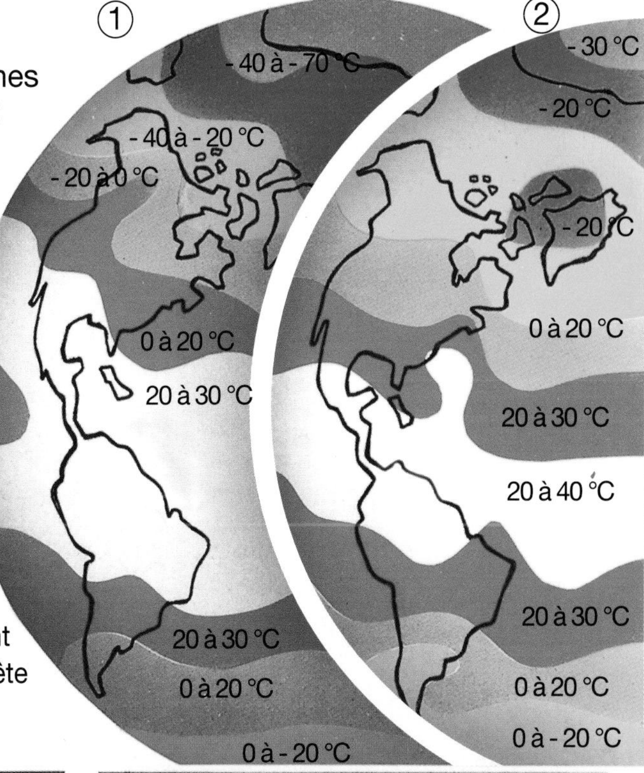

L'échelle de Beaufort

En 1805, l'Anglais sir Francis Beaufort a mis au point une échelle de mesure de la force des vents, allant de 0 à 12.

Force 0 : calme
Force 3 : 15 km/h, petite brise
Force 7 : 60 km/h, grand frais
Force 9 : 85 km/h, fort coup de vent
Force 11 : 112 km/h, violente tempête
Force 12 : + de 200 km/h, cyclone.

Force 9

Force 11

Force 12

LES PHÉNOMÈNES DU CIEL

Appelés également météores, ces phénomènes sont parfois familiers, comme le soleil couchant, étonnants, comme l'arc-en-ciel, presque invisibles, comme le rayon vert, ou trompeurs, comme le mirage. Toutes ces manifestations ont en commun la lumière du Soleil, qui peut être déviée, absorbée ou réfléchie par l'atmosphère dans un immense jeu de couleurs. Parfois, c'est notre satellite, la Lune, qui semble changer de forme dans le ciel, selon sa position par rapport au Soleil et à la Terre.

Le Soleil morcelé

Plus le Soleil est bas sur l'horizon, plus les couches de l'atmosphère dévient sa lumière : le Soleil semble aplati ; ses couleurs sont comme empilées les unes sur les autres, donnant une image morcelée à cause de la réfraction de la lumière.

Le rayon vert

Il est difficile à observer, car il nécessite un ciel clair et un horizon dégagé. Le rayon vert apparaît quand les couleurs rouge, orange et jaune ont déjà disparu sous l'horizon. Juste un instant, on distingue un très bref éclair vert : dernière lueur du Soleil.

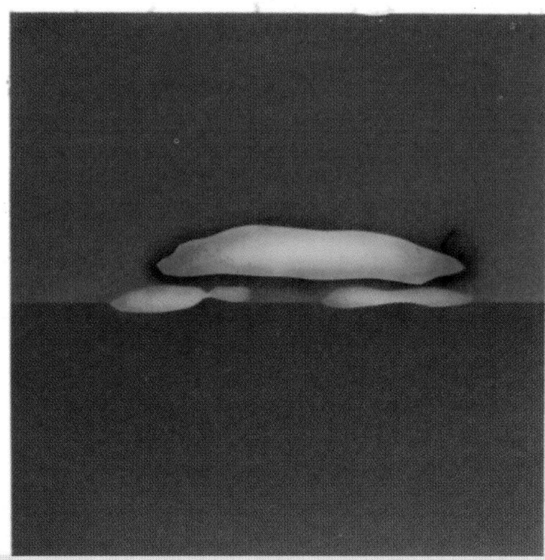

Les rais de lumière

Quand un nuage passe devant le Soleil, la lumière est filtrée, créant des bandes plus claires dans le ciel. Ces traces brillantes sont composées de minuscules gouttelettes d'eau qui diffusent la lumière solaire dans toutes les directions.

Chaque nuit, la Lune semble différente, c'est sa position par rapport au Soleil qui nous la montre ainsi.
La nouvelle lune est sombre et invisible, puis apparaissent les croissants et les quartiers. La pleine lune, enfin, est visible toute entière.

L'arc-en-ciel

Si le Soleil se trouve à une certaine hauteur dans le ciel et qu'il éclaire une pluie fine, les milliers de gouttelettes dévient la lumière et la décomposent en un arc violet, indigo, bleu, vert, jaune, orange et rouge. On peut aussi observer un second arc aux couleurs inversées. Entre ces deux arcs, le ciel est généralement plus foncé.

'aurore boréale

e Soleil projette des particules lectriques dans tout l'espace. rrivés au-dessus du pôle Nord, es éléments entrent en collision vec des molécules d'air, formant le magnifiques voiles fluorescents, environ 100 km d'altitude, tantôt ouges ou verts, tantôt bleu-violet.

Le mirage

Parfois, l'air au-dessus du sol, surchauffé par le Soleil, dévie la lumière et fait apparaître une image du lointain qui se reflète dans le ciel comme dans un miroir. Dans les régions polaires, un sol très froid peut aussi provoquer la formation d'un mirage.

L'éclipse

Il s'agit d'un phénomène régulier. Quand la Lune se place devant le Soleil, elle projette son ombre sur une partie de la Terre : c'est une éclipse de Soleil. On peut alors observer la couronne du Soleil, car le disque de la Lune masque la totalité du disque solaire.

ORAGE, OURAGAN, TORNADE ET CYCLONE

Quand une masse d'air froid rencontre une masse d'air chaud et humide, il se forme généralement une perturbation qui peut créer d'immenses nuages d'eau et de glace s'entrechoquant sous l'effet de vents très violents. Ces fortes perturbations se nomment orage, ouragan, tornade ou cyclone en fonction de leur importance et de l'endroit du monde où elles se forment. Les orages sont les plus fréquents, les ouragans les plus violents. Tous provoquent des dégâts plus ou moins graves selon l'énergie qu'ils dégagent. Les hommes craignent ces phénomènes qui ravagent cultures et habitations et font parfois des morts.

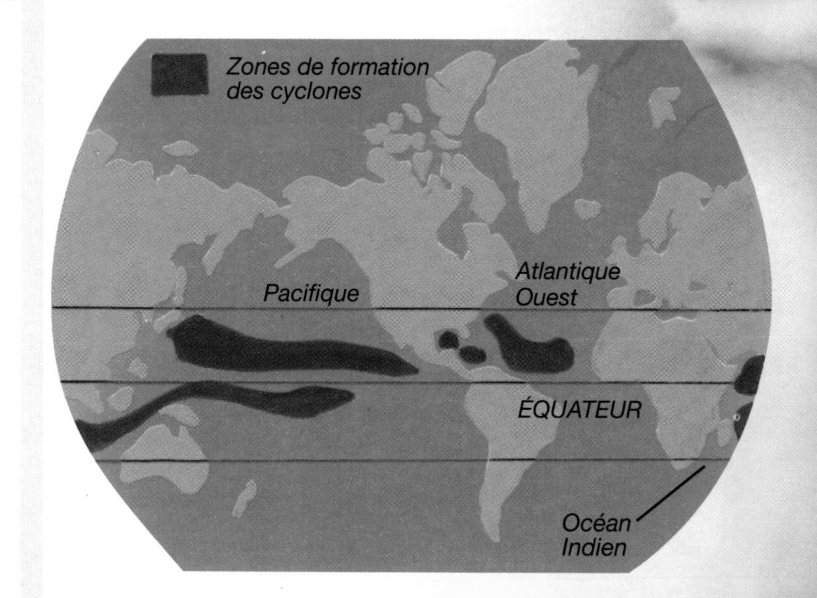

Zones de formation des cyclones

Les tempêtes les plus violentes sont les ouragans, les typhons et les cyclones. Elles prennent naissance entre juillet et octobre, au-dessus des mers chaudes des tropiques, à proximité de l'équateur : dans l'Atlantique Ouest, le Pacifique et l'océan Indien.

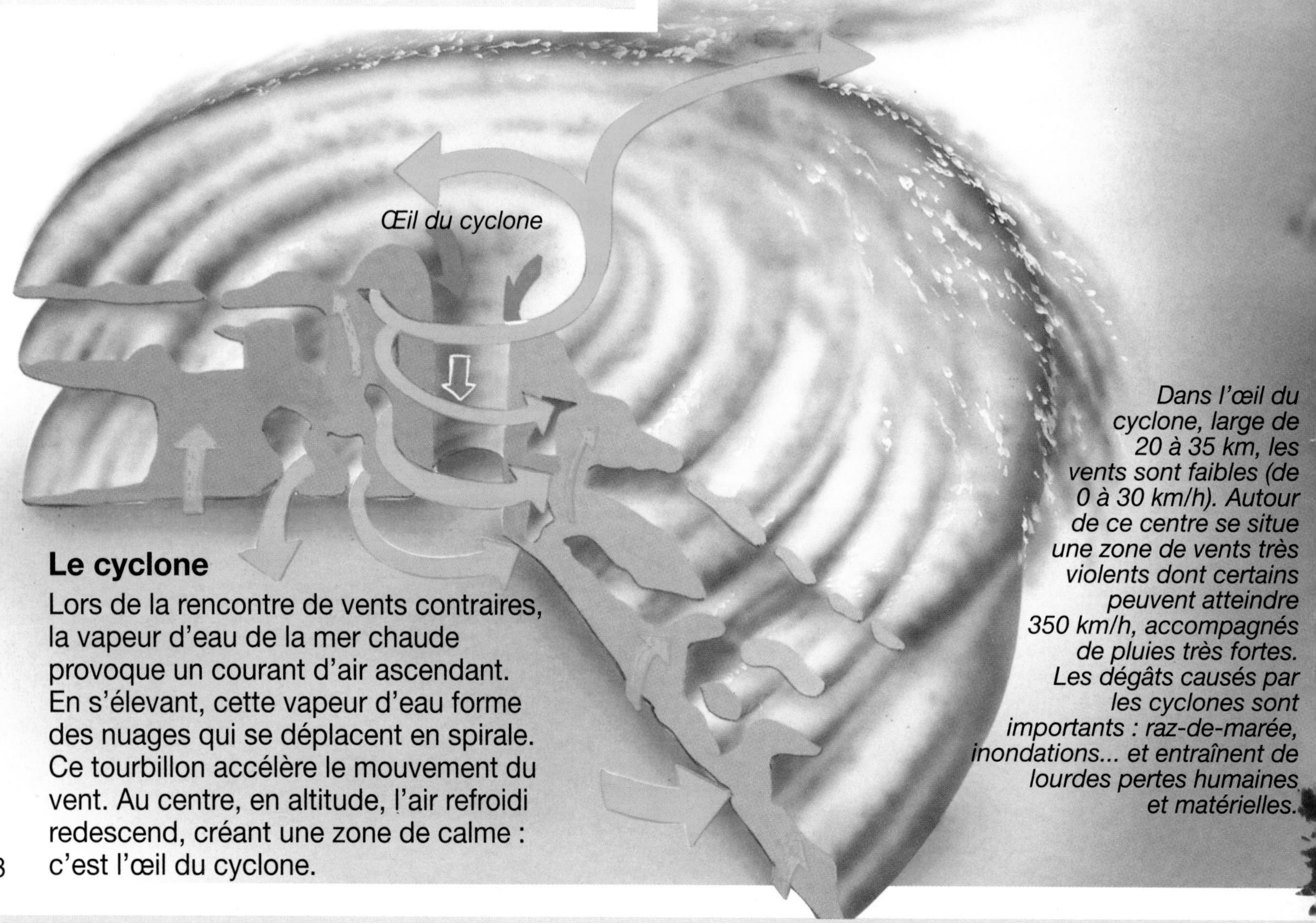

Dans l'œil du cyclone, large de 20 à 35 km, les vents sont faibles (de 0 à 30 km/h). Autour de ce centre se situe une zone de vents très violents dont certains peuvent atteindre 350 km/h, accompagnés de pluies très fortes. Les dégâts causés par les cyclones sont importants : raz-de-marée, inondations... et entraînent de lourdes pertes humaines et matérielles.

Le cyclone

Lors de la rencontre de vents contraires, la vapeur d'eau de la mer chaude provoque un courant d'air ascendant. En s'élevant, cette vapeur d'eau forme des nuages qui se déplacent en spirale. Ce tourbillon accélère le mouvement du vent. Au centre, en altitude, l'air refroidi redescend, créant une zone de calme : c'est l'œil du cyclone.

L'orage

L'orage se forme dans de grands nuages appelés cumulo-nimbus (voir p.11). À l'intérieur, des courants d'air violents font se heurter des particules d'eau et de glace, créant de l'électricité statique : les charges positives se massent au sommet, les négatives à la base du nuage. L'énergie électrique se libère quand la différence de charge entre le sommet et la base devient trop importante : c'est la foudre, accompagnée de l'éclair et du tonnerre.

La tornade

Lorsqu'un courant d'air ascendant rencontre un fort courant descendant, une tornade se forme, généralement pendant de violents orages. L'air s'enroule en un tourbillon et crée une spirale en forme d'entonnoir s'étirant vers le sol : la trompe de la tornade. Ce phénomène peut engendrer des vents de 300 km/h et dure de 5 à 30 min. Son rugissement s'entend parfois à 40 km à la ronde ! Quand l'air aspiré n'est plus chaud, la tornade se calme.

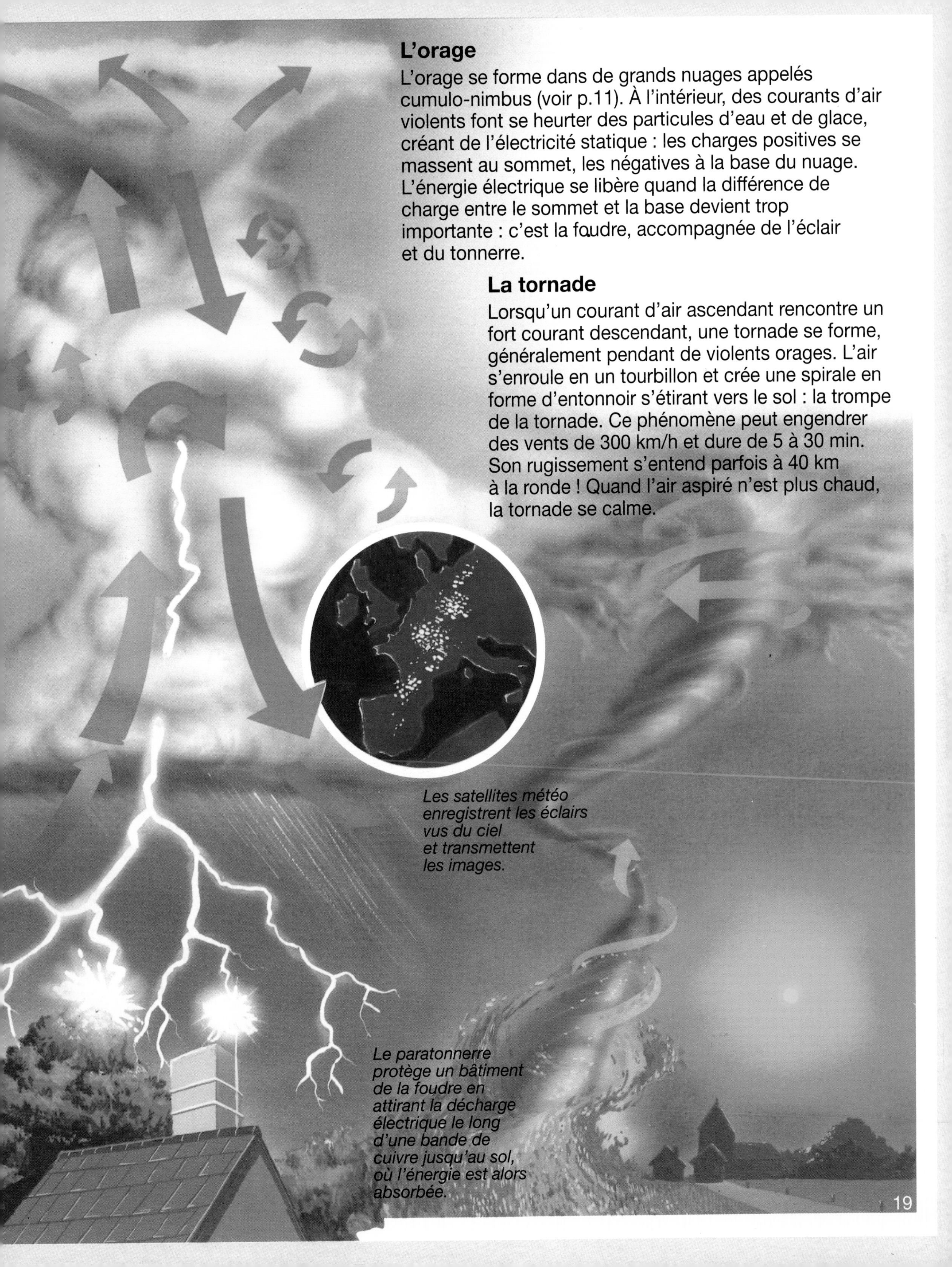

Les satellites météo enregistrent les éclairs vus du ciel et transmettent les images.

Le paratonnerre protège un bâtiment de la foudre en attirant la décharge électrique le long d'une bande de cuivre jusqu'au sol, où l'énergie est alors absorbée.

LES CLIMATS ET LES SAISONS

La Terre tourne autour du Soleil en 365 jours et effectue en 24 heures une rotation d'ouest en est à la vitesse de 1 700 km/h. Notre planète se rapproche et s'éloigne du Soleil pendant sa course annuelle, ce qui crée les saisons. Le climat est l'ensemble des manifestations atmosphériques dans une région donnée selon sa position par rapport à l'équateur, son altitude et la présence ou non d'un océan.
On distingue huit types de climats : méditerranéen, équatorial, désertique, tropical sec, tropical humide, océanique, continental et polaire.

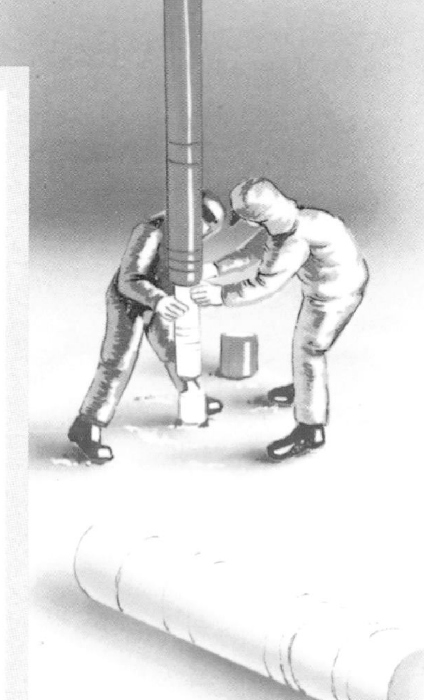

L'étude des « carottes » polaires

En pratiquant un forage dans la calotte glaciaire, on extrait de longues « carottes » de glace dont les couches successives sont analysées. On y découvre du pollen, des poussières volcaniques et des bulles d'air.
La composition chimique de ces dernières nous renseigne sur l'état de l'atmosphère à des époques très lointaines, et donc sur le passé climatique de la Terre.

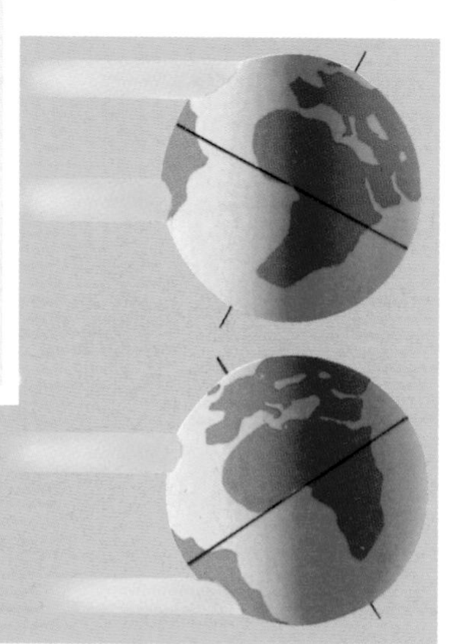

L'ensoleillement

L'inclinaison de la Terre fait qu'en hiver, les rayons du Soleil sont en grande partie absorbés par une couche d'atmosphère plus importante et apportent moins de chaleur, alors qu'en été ils sont très concentrés, presque perpendiculaires à la Terre ; ils apportent donc plus de chaleur.

Un héliographe mesure le temps d'ensoleillement en un lieu précis. La sphère de verre concentre les rayons du Soleil sur une bande de papier graduée. Ces rayons brûlent le papier en suivant la courbe du Soleil et laissent une trace plus ou moins roussie selon l'intensité de l'ensoleillement durant la journée.

FORMATION DES SAISONS

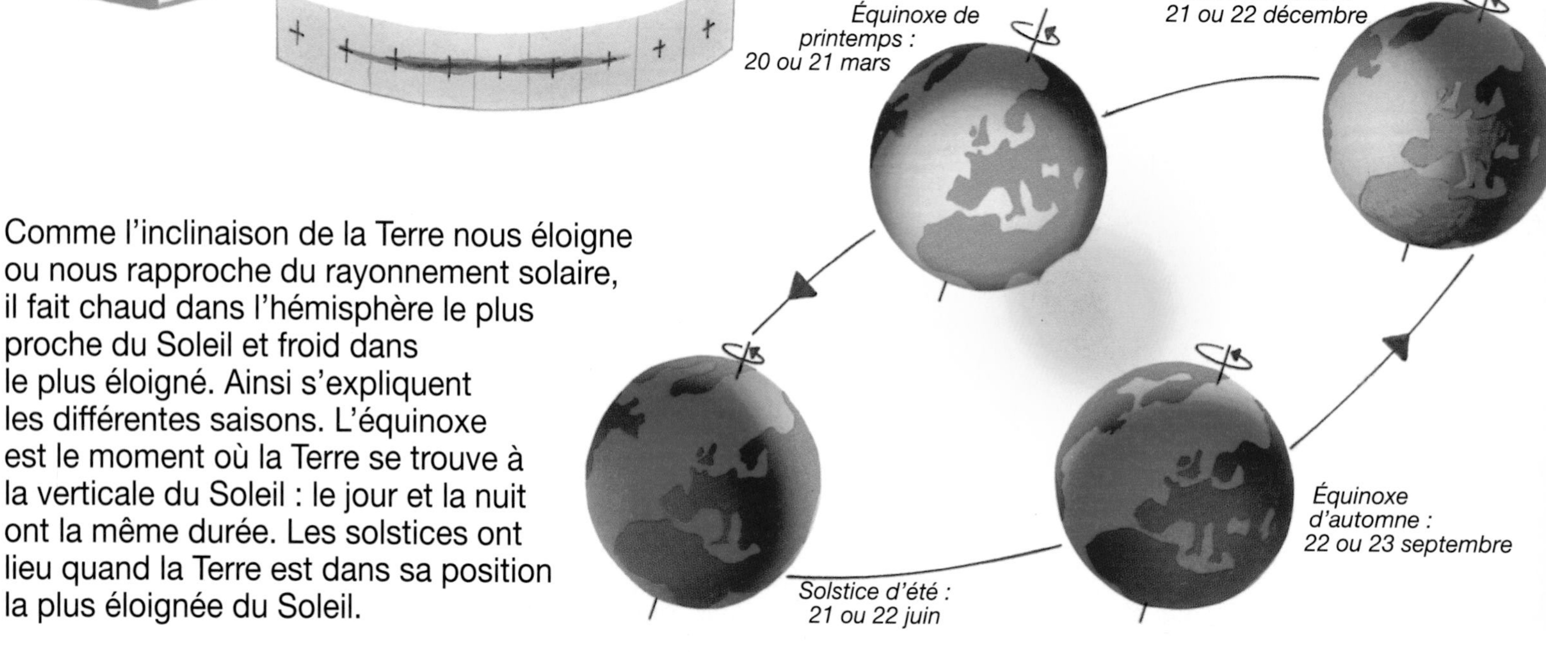

Comme l'inclinaison de la Terre nous éloigne ou nous rapproche du rayonnement solaire, il fait chaud dans l'hémisphère le plus proche du Soleil et froid dans le plus éloigné. Ainsi s'expliquent les différentes saisons. L'équinoxe est le moment où la Terre se trouve à la verticale du Soleil : le jour et la nuit ont la même durée. Les solstices ont lieu quand la Terre est dans sa position la plus éloignée du Soleil.

Tropical humide, ou de mousson
Courte saison sèche et fortes précipitations le reste de l'année.

Tropical sec
Longue période de sécheresse. La végétation ne pousse que durant la très courte saison des pluies.

Continental
Hivers rigoureux : la température peut atteindre - 64 °C. Étés chauds, parfois torrides (40 °C).

LES CLIMATS DANS LE MONDE

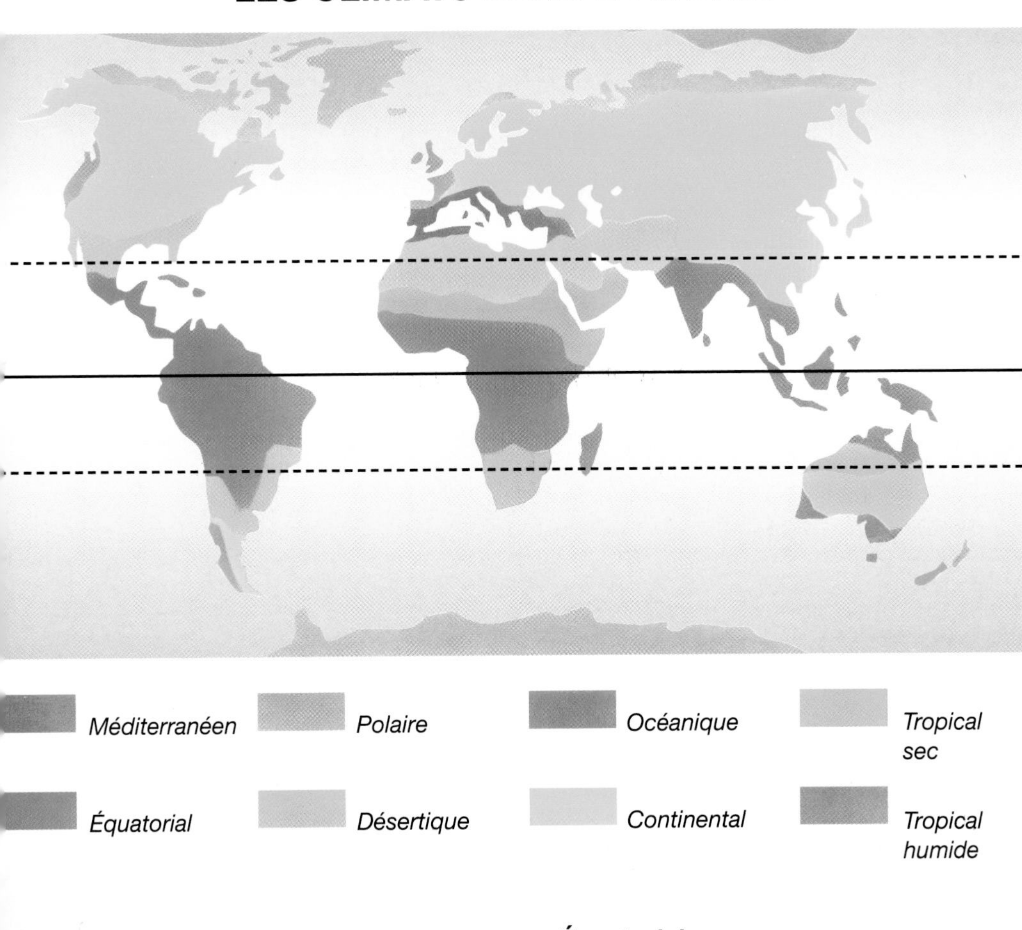

Océanique
Températures douces et pluies fréquentes. Quatre saisons bien distinctes.

Désertique
Pluies rares. Il fait chaud le jour et froid la nuit.

Méditerranéen
Climat tempéré : hivers souvent doux et pluvieux, étés secs et chauds.

Équatorial
Chaud et humide. Pluies toute l'année.

Polaire
Hivers longs et froids. Étés courts et frais. Au pôle Sud, la température varie de -10 à -70 °C.

PRÉVOIR LE TEMPS

La prévision du temps se fait grâce aux observations recueillies dans le monde entier. Elles sont transmises par téléphone, fax ou liaisons satellite reliant les ordinateurs des centres météo de tous les pays. On observe les conditions atmosphériques à l'aide de navires, d'avions, de ballons-sondes, de fusées et de satellites. Ce sont ensuite de puissants ordinateurs qui vont calculer l'évolution du temps grâce aux données qui leur sont fournies : ils peuvent effectuer trois milliards d'opérations par seconde ! Aujourd'hui on peut prévoir le temps jusqu'à 7 jours à l'avance.

Les satellites

Il existe deux types de satellites météo :
- les « géostationnaires », qui tournent au-dessus de l'équateur, à 36 000 km d'altitude, à la même vitesse que la Terre ;
- les « polaires », ou à défilement, qui font le tour de la Terre en un peu plus de 1 heure, à 850 km d'altitude, en passant par les pôles.

Ils transmettent des images de l'atmosphère grâce à leurs caméras et à leurs radars. Ces images seront ensuite analysées et retravaillées sur des ordinateurs.

Satellite ERS 1

Dans la nature

Autrefois, on observait des phénomènes naturels pour prévoir le temps. Les pommes de pin s'ouvrent par temps sec et se ferment à l'approche de la pluie. Les grenouilles coassent plus fort s'il fait humide. La girouette permet d'observer la direction du vent, signe d'un changement de temps possible. Quand la peau d'un oignon est épaisse, on dit que l'hiver s'annonce rigoureux.

Le ballon-sonde

Rempli d'hydrogène ou d'hélium, il peut atteindre des altitudes de 25 à 30 km, en emportant des instruments de mesures qui relèvent la température, la pression, la composition de l'air et les taux de gaz polluants. Le ballon permet aussi de suivre les masses d'air afin de prévoir le temps.

Symboles météorologiques

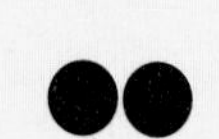
Pluie légère continue

modérée continue

abondante

Bruine

Légère averse

Brouillard

Grêle

Averse

Orag

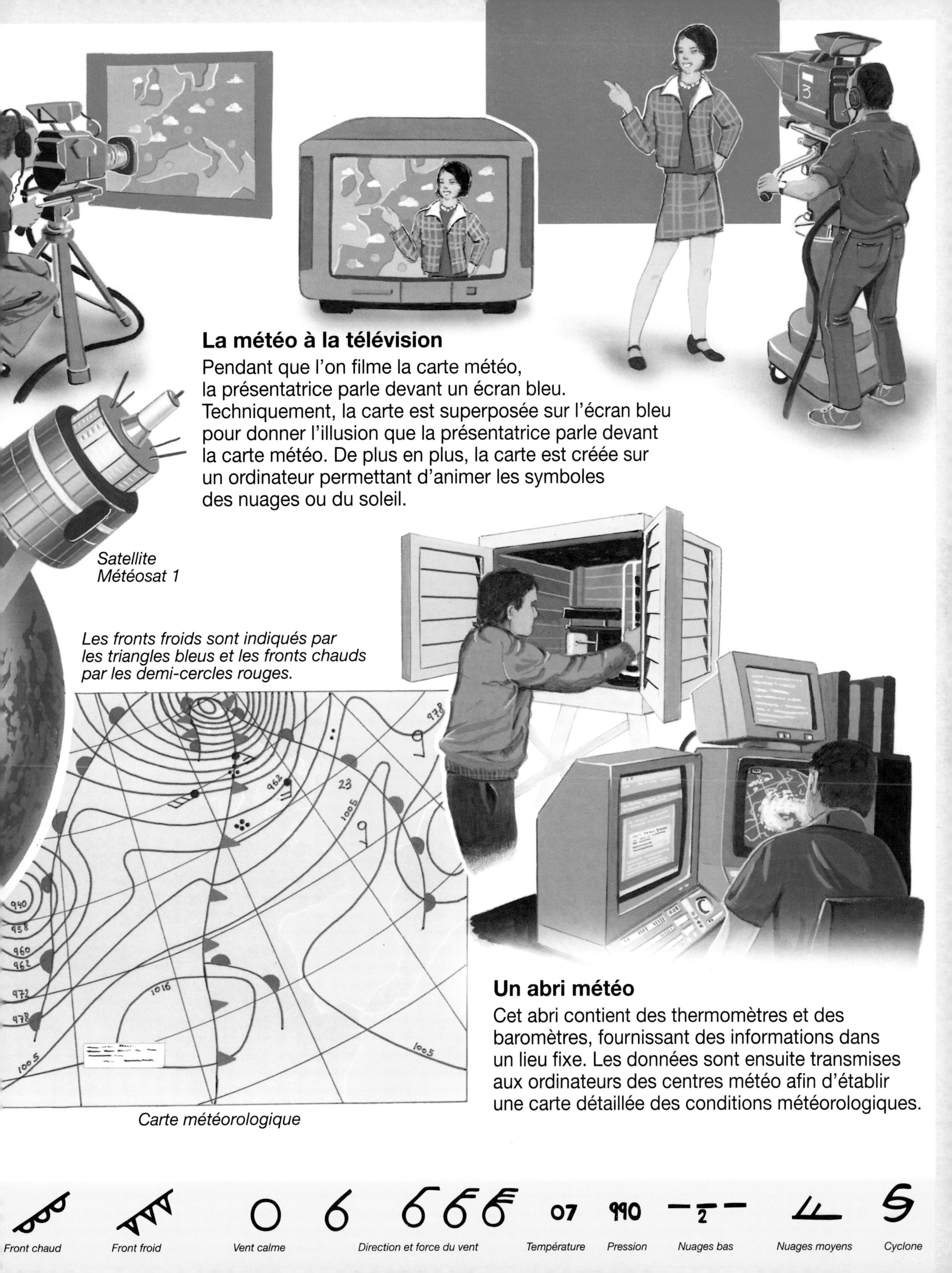

La météo à la télévision

Pendant que l'on filme la carte météo, la présentatrice parle devant un écran bleu. Techniquement, la carte est superposée sur l'écran bleu pour donner l'illusion que la présentatrice parle devant la carte météo. De plus en plus, la carte est créée sur un ordinateur permettant d'animer les symboles des nuages ou du soleil.

Satellite Météosat 1

Les fronts froids sont indiqués par les triangles bleus et les fronts chauds par les demi-cercles rouges.

Carte météorologique

Un abri météo

Cet abri contient des thermomètres et des baromètres, fournissant des informations dans un lieu fixe. Les données sont ensuite transmises aux ordinateurs des centres météo afin d'établir une carte détaillée des conditions météorologiques.

LA POLLUTION ATMOSPHÉRIQUE

Certains gaz de l'atmosphère, comme le gaz carbonique, laissent passer les rayons du Soleil tout en empêchant une partie du rayonnement terrestre de repartir vers l'espace : la température moyenne sur terre se maintient ainsi à 15 °C. C'est ce qu'on appelle l'effet de serre naturel, sans lequel toute vie serait impossible. Cependant, du gaz carbonique et d'autres gaz sont libérés artificiellement par l'homme en trop grande quantité. Ils provoquent un accroissement de la température du sol, des océans et de l'atmosphère, ce qui, petit à petit, peut avoir des conséquences graves.

Les responsables

Le gaz carbonique, ou oxyde de carbone, émis par les automobiles ou les cheminées d'usine, est pour 50 % à l'origine de la pollution atmosphérique. Les gaz rejetés par les aérosols ou les réfrigérateurs contribuent, eux, pour 10 % à l'effet de serre, ce qui est très important.

L'effet de serre

La lumière du Soleil (flèches jaunes) est absorbée par le sol et les océans ; ceux-ci émettent à leur tour un rayonnement thermique (flèches rouges). Cette chaleur est piégée par le gaz carbonique de l'atmosphère comme dans une serre de jardinier : c'est l'effet de serre. D'autres gaz contribuent au réchauffement terrestre (flèches roses), comme le protoxyde d'azote utilisé dans les engrais agricoles, l'oxyde de carbone rejeté dans les villes, les usines et les incendies de forêt, le méthane évacué par le bétail... C'est le rejet excessif de tous ces gaz depuis de nombreuses années qui crée la pollution atmosphérique et le réchauffement.

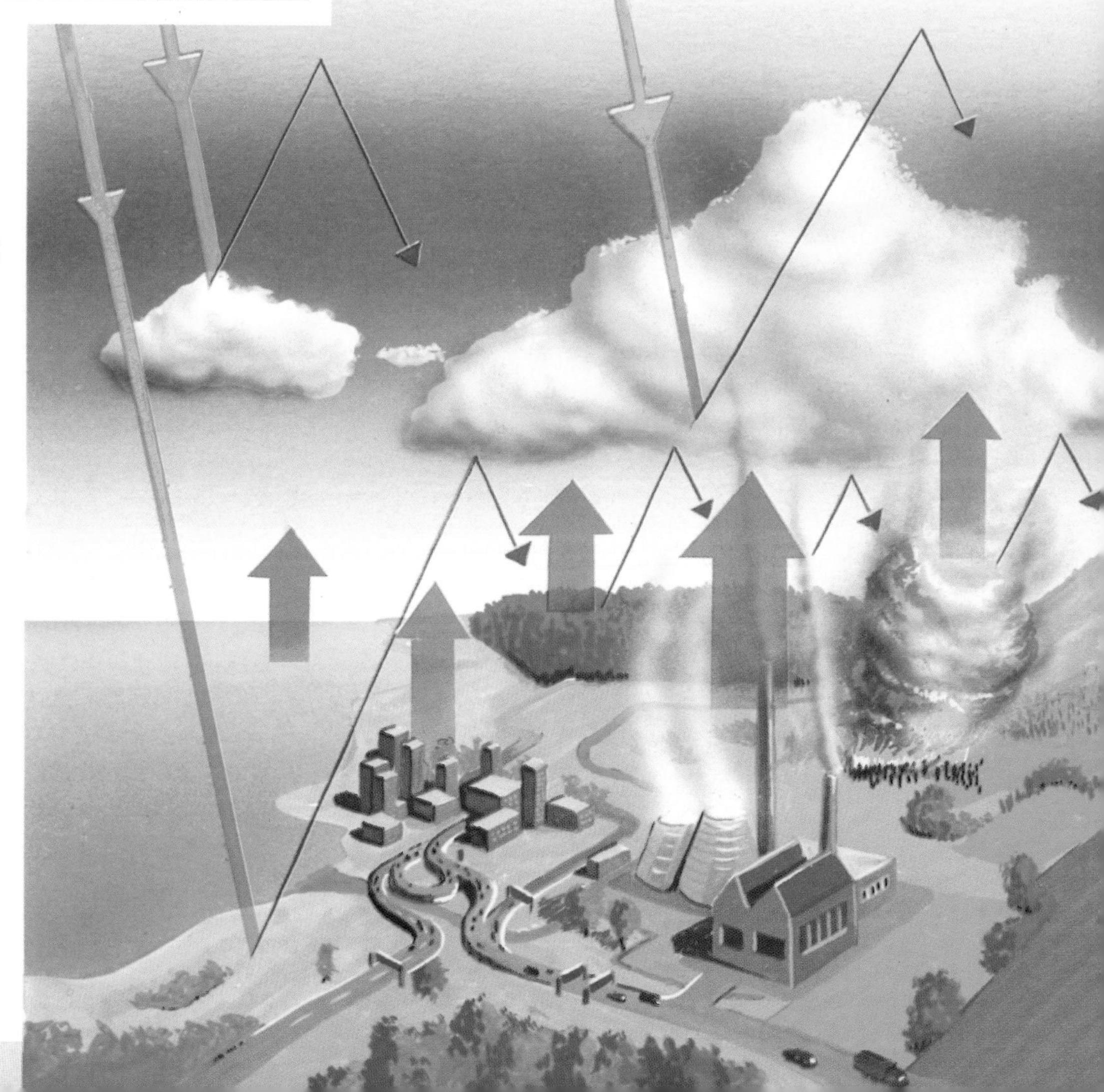

ollution d'origine volcanique

ırs d'une éruption volcanique
ıportante, d'énormes quantités
 poussières et de gaz sulfureux
ınt projetées dans l'atmosphère,
 qui peut entraîner une baisse
 la température, car ces
atières en suspension dans l'air
nt barrage aux rayons du Soleil.
e phénomène s'est produit en
315, lors de l'éruption violente
un volcan en Indonésie, et s'est
olongé quelques années.

Si les hommes n'essayaient pas de réduire l'effet de serre, l'augmentation de la température pourrait entraîner une élévation du niveau de la mer due à la fonte d'une partie des glaces situées aux pôles, et des villes côtières seraient inondées.

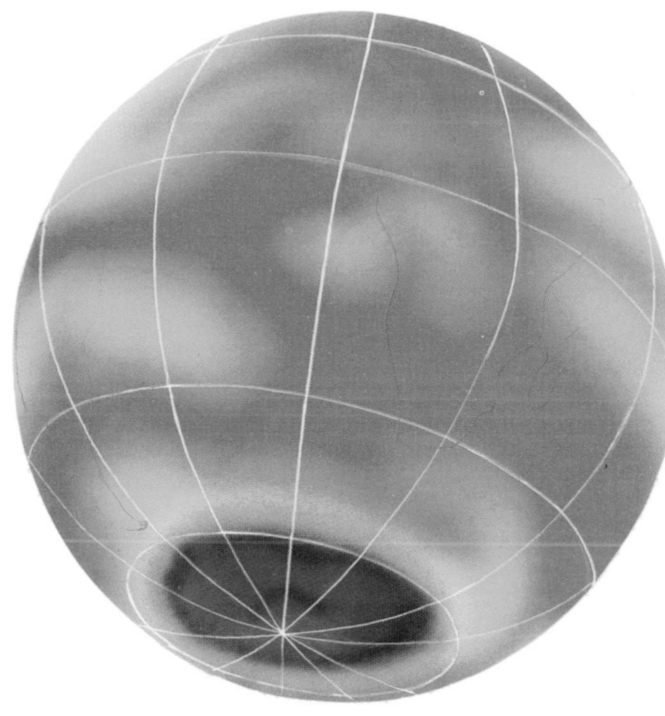

Le trou dans la couche d'ozone

L'ozone est l'un des gaz rares de l'atmosphère, il est surtout concentré dans la stratosphère entre 14 et 50 km d'altitude. L'ozone nous protège des rayons ultraviolets, nocifs pour les êtres vivants (ils provoquent des cancers de la peau). L'émission dans l'atmosphère de chlorofluorocarbures, ces gaz utilisés dans les aérosols, entre autres, met en danger la couche d'ozone. Au pôle Sud, un trou important a été observé (en bleu foncé). On a aussi noté des déchirures inquiétantes de la couche au-dessus de l'Angleterre et du nord de la France.

UTILISER L'AIR

En observant la force du vent, l'homme a très vite compris qu'il pouvait utiliser cette énergie comme formidable moteur pour gonfler les voiles des navires, entraîner les ailes des moulins, soutenir le cerf-volant dans le ciel... Il développa ainsi des moyens de transport, des sources d'énergie, des sports aériens, et exploita cette force naturelle à son avantage. Du cerf-volant à l'éolienne, c'est le même phénomène qui entre en jeu : les courants d'air. Autrefois, lorsque les bateaux à moteur n'existaient pas, l'absence de vent pouvait bloquer les navigateurs en mer pendant plusieurs jours.

L'éolienne

Les grandes pales des éoliennes, entraînées par la force du vent, permettent de faire tourner des turbines ou des moteurs qui fournissent de l'électricité. C'est une façon de produire de l'énergie sans polluer.

Le moulin à vent

Les ailes du moulin font tourner de grosses roues qui broient le blé pour faire de la farine.

Le cerf-volant

Parce qu'il est très léger et résistant, le cerf-volant se laisse porter par le vent et garde son équilibre grâce au fil qui le relie à la terre. Le cerf-volant est un sport qui demande de la force et de l'adresse pour que soient réalisées des acrobaties tout en maintenant l'objet dans les airs.

Le parachute et le parapente

Lorsqu'il est ouvert, le parachute se remplit d'air qui freine la descente. Le parapente, lui, recherche les courants ascendants qui le maintiendront en altitude le plus longtemps possible, grâce à sa forme particulière.

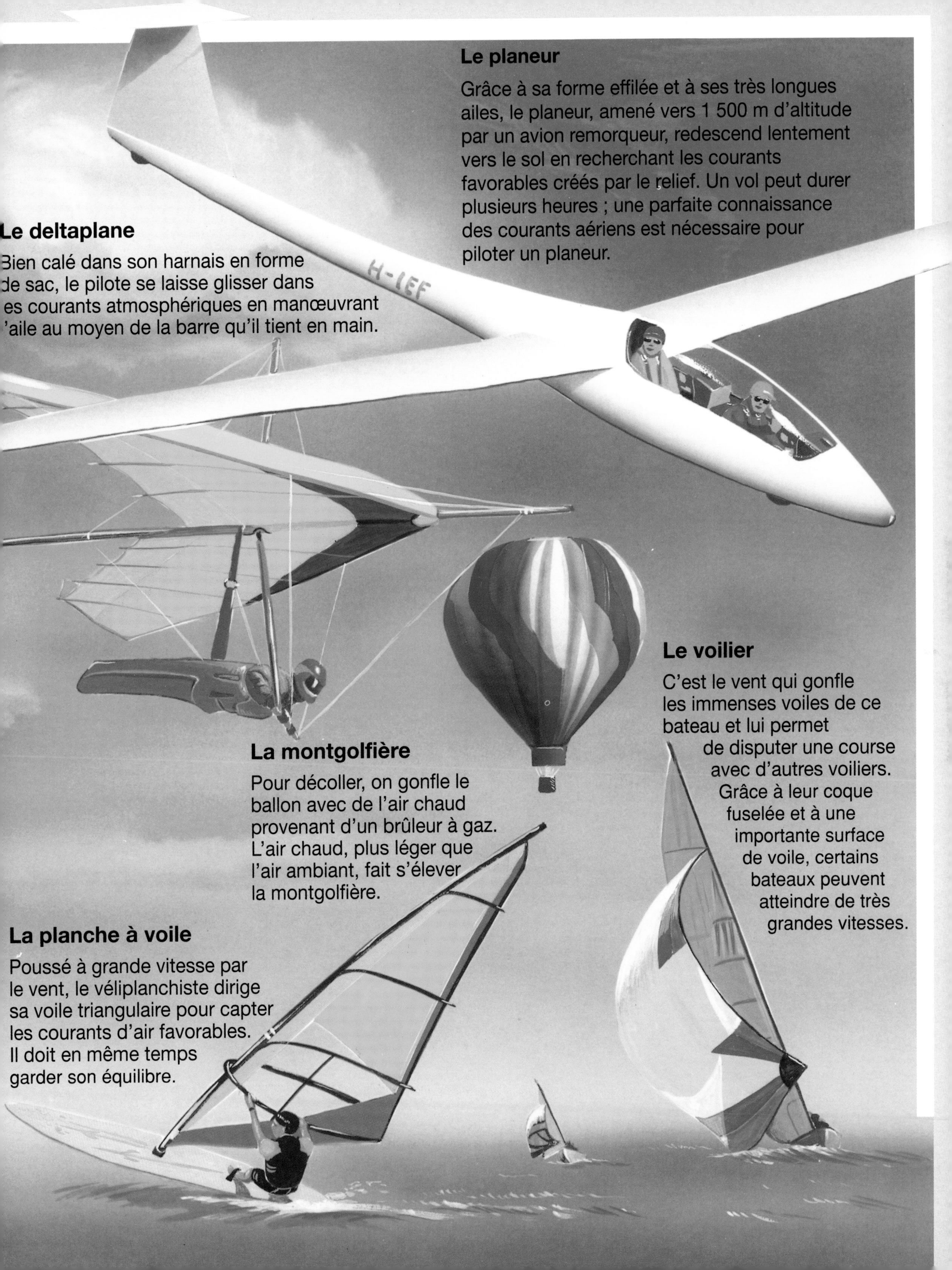

Le planeur

Grâce à sa forme effilée et à ses très longues ailes, le planeur, amené vers 1 500 m d'altitude par un avion remorqueur, redescend lentement vers le sol en recherchant les courants favorables créés par le relief. Un vol peut durer plusieurs heures ; une parfaite connaissance des courants aériens est nécessaire pour piloter un planeur.

Le deltaplane

Bien calé dans son harnais en forme de sac, le pilote se laisse glisser dans les courants atmosphériques en manœuvrant l'aile au moyen de la barre qu'il tient en main.

La montgolfière

Pour décoller, on gonfle le ballon avec de l'air chaud provenant d'un brûleur à gaz. L'air chaud, plus léger que l'air ambiant, fait s'élever la montgolfière.

Le voilier

C'est le vent qui gonfle les immenses voiles de ce bateau et lui permet de disputer une course avec d'autres voiliers. Grâce à leur coque fuselée et à une importante surface de voile, certains bateaux peuvent atteindre de très grandes vitesses.

La planche à voile

Poussé à grande vitesse par le vent, le véliplanchiste dirige sa voile triangulaire pour capter les courants d'air favorables. Il doit en même temps garder son équilibre.

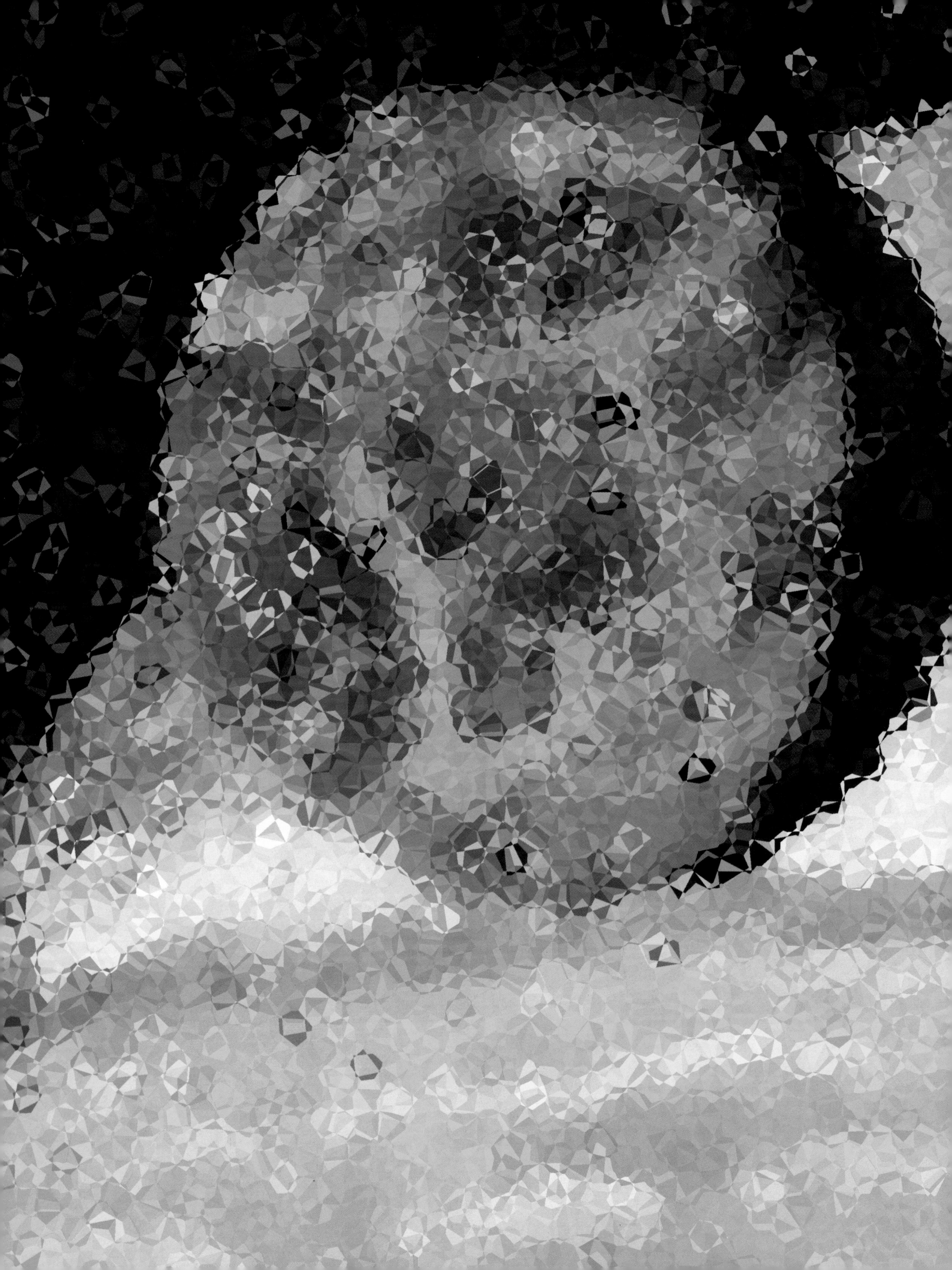

Texte
Agnès VANDEWIELE
Émilie BEAUMONT

Images
Pierre BON

L'ASTRONOMIE

C'est la science qui étudie les astres. Les spécialistes de cette science sont des astronomes. Nos ancêtres les hommes préhistoriques avaient déjà constaté les différentes phases de la Lune et le mouvement du Soleil, mais ils pensaient que ces phénomènes étaient dus à des êtres puissants qui avaient un pouvoir sur les planètes et le Soleil. C'est avec la mise au point des longues vues dont la première fut inventée par des opticiens hollandais, que les découvertes vont s'accélerer, et c'est l'Italien Galilée, qui, le premier, vers 1610, regarde le ciel au travers d'une lunette qu'il a lui-même fabriquée.

Les premières découvertes

Les grecs avaient déjà remarqué en leur temps que la Terre était ronde, mais ils pensaient que notre planète était immobile au centre de l'univers. En 1543, le Polonais Copernic affirme pour la première fois que la Terre tourne sur elle-même et autour du Soleil.

Instrument astronomique de l'époque médiévale.

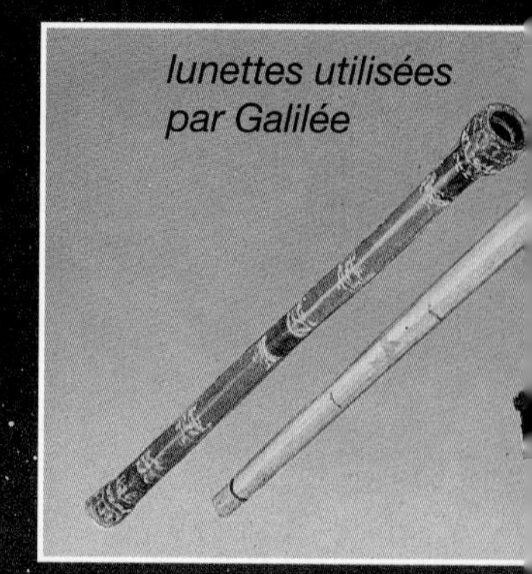

lunettes utilisées par Galilée

illiam Herschel

rschel était un astronome glais du XVIIIe siècle. onstruisit de mbreux télescopes âce auxquels ut découvrir planète Uranus deux de ses tellites, ainsi e deux des tellites Saturne.

Des observatoires haut perchés

Les grands télescopes sont souvent situés en montagne à une altitude où le ciel est toujours dégagé. En France, il y en a plusieurs dans les Pyrénées. Certains ne sont pas réservés qu'aux scientifiques mais sont aussi accessibles aux amateurs.

Un des télescopes élaborés par Herschel.

Voyager 1 et 2 sont des sondes américaines qui ont survolé Jupiter, Saturne puis Uranus et Neptune. Pour Saturne seule, elles ont fourni pas moins de 18 000 images de la planète !

Voyager 2

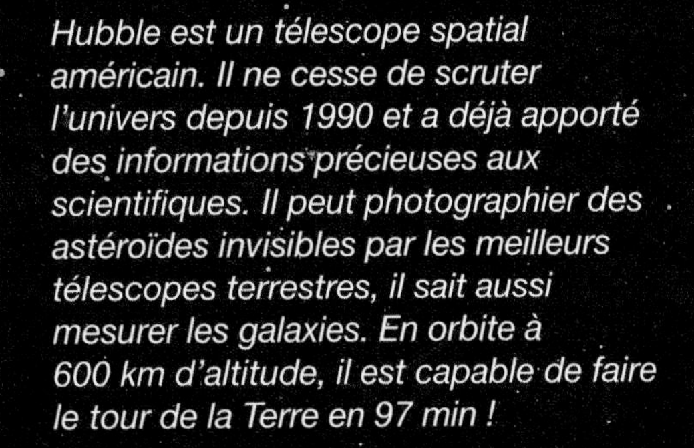

Hubble

Hubble est un télescope spatial américain. Il ne cesse de scruter l'univers depuis 1990 et a déjà apporté des informations précieuses aux scientifiques. Il peut photographier des astéroïdes invisibles par les meilleurs télescopes terrestres, il sait aussi mesurer les galaxies. En orbite à 600 km d'altitude, il est capable de faire le tour de la Terre en 97 min !

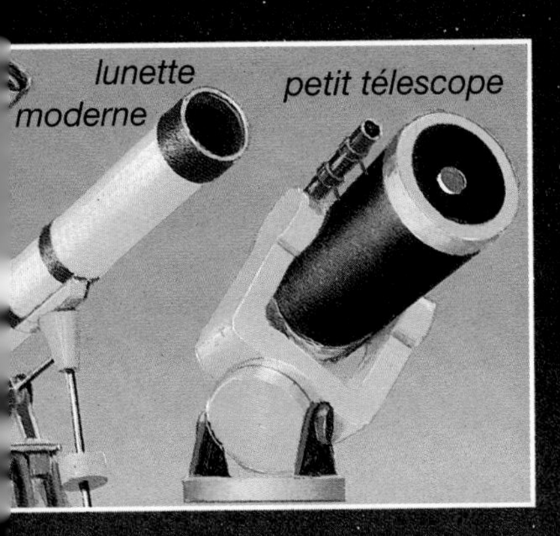

Des passionnés

De nombreux amateurs s'adonnent à l'astronomie. On fait pour eux des télescopes de toutes tailles que l'on peut mettre sur son balcon et même emporter en vacances. Il existe beaucoup d'associations qui organisent des observations nocturnes.

Galileo

Galileo est la première sonde qui a plongé dans l'atmosphère de Jupiter. Elle peut fournir des photos de la planète et de ses satellites des centaines de fois plus précises que celles déjà émises par les sondes Voyager.

L'avenir

Au Chili, sur les hauts sommets des Andes, on construit 4 télescopes géants qui seront encore plus performants que Hubble. Le lie de leur emplacement n'a pas été choisi par hasard : le temps y est dégagé 330 nuits pa an ! Plus un instrument d'observation a un objectif large, plus il est puissant. Les objectifs utilisés mesureront plus de 8 m

LE SYSTÈME SOLAIRE

Cette région de l'univers comprend le Soleil, autour duquel tournent neuf planètes : Mercure, Vénus, Terre, Mars, Jupiter, Saturne, Uranus, Neptune, Pluton et des milliers de petites planètes appelées astéroïdes. D'autres corps célestes sont aussi présents, comme des comètes formées de roches et de glace ; des météorites, qui sont des débris de roches et des satellites tournant autour de grosses planètes, comme la Lune qui est le satellite de la Terre. Le système solaire s'est formé il y a 4,6 milliards d'années.

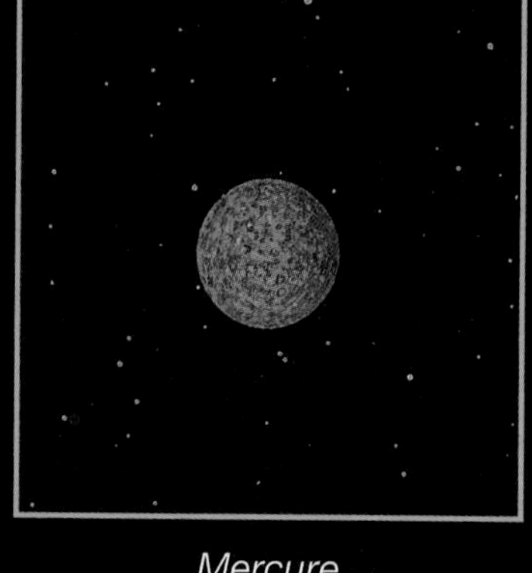

Mercure

Vénus

La formation du système solaire

Le Soleil et ses planètes se sont formés à partir d'un immense nuage de gaz et de poussières qui, pour des raisons encore inconnues, s'est mis à tourner sur lui-même. Des savants pensent que ce phénomène serait dû à l'explosion d'une grosse étoile toute proche.

Naissance du Soleil

En tournant de plus en plus vite, le nuage a pris la forme d'un gigantesque disque dont le centre, plus chaud et plus dense, a donné naissance au Soleil. Autour du Soleil, pendant plus de 100 millions d'années, de nombreuses particules se sont collées les unes aux autres

Nettoyage dans l'espace

Les quatre planètes géantes, depuis leur naissance, ont nettoyé l'espace de corps plus petits qu'elles, en les expulsant très loin, bien après Pluton, la planète la plus éloignée du Soleil. Certains de ces corps, constitués de roches et de glace, continuent de tourner autour du Soleil. Ils forment un immense anneau, appelé nuage de Oort, d'où viendraient

Terre

Mars

Les planètes

Les planètes du système solaire, sauf Pluton, sont divisées en deux grandes catégories :

- Les planètes telluriques : Mercure, Vénus, la Terre et Mars sont constituées d'une matière rocheuse et leur surface est solide. Leur taille n'est pas très importante et elles ne possèdent pas beaucoup de satellites (Mars en a deux, la Terre, un seul).
- Les planètes géantes : Jupiter, Saturne, Uranus et Neptune sont essentiellement constituées de gaz, leur surface n'est pas dure. Elles sont volumineuses, Jupiter, par exemple, est onze fois plus grande que la Terre. Ces planètes sont entourées d'anneaux et possèdent de nombreux satellites.
- Pluton est aussi une boule de gaz, mais elle est plus petite, environ cinq fois moins grosse que la Terre. (voir p. 23).

Région des planètes géantes

Région des planètes telluriques

L'avenir du système solaire

Il est appelé à disparaître car le Soleil, qui est une étoile, s'éteindra peu à peu. Avant, il grossira pour devenir une étoile géante qui fera monter la température de la Terre à 2 000 °C ! Quand le Soleil ne brûlera plus, le système solaire sera plongé dans la nuit et le froid glacial.

Jupiter

Saturne

Uranus

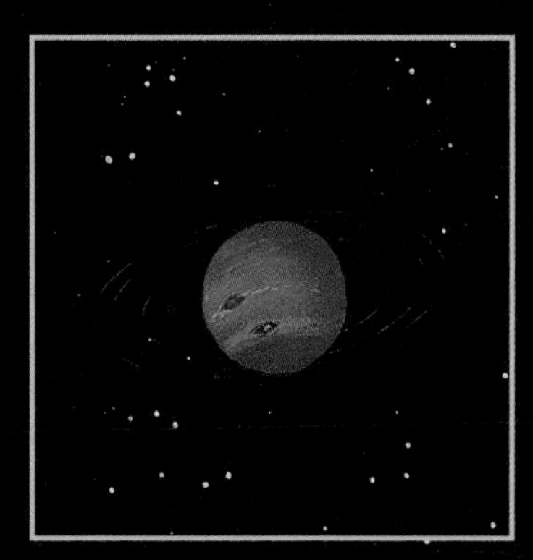
Neptune

LE SOLEIL

Le Soleil est l'étoile la plus proche de la Terre. Il s'agit d'une énorme sphère de gaz d'un rayon 110 fois plus grand que celui de la Terre. Son cœur produit une énergie incroyable due à de la matière qui brûle à une température de 15 millions de degrés ! Cette énergie nous parvient sous forme de chaleur et de lumière et permet la vie sur Terre. Notre planète tourne autour du Soleil situé à 150 millions de kilomètres, mais il ne faut que 8 min à la lumière du Soleil pour nous parvenir. Sa surface est d'un éclat aveuglant et elle est très agitée.
Né il y a 4,5 milliards d'années, le Soleil devrait avoir brûlé ses réserves dans environ 5 milliards d'années.

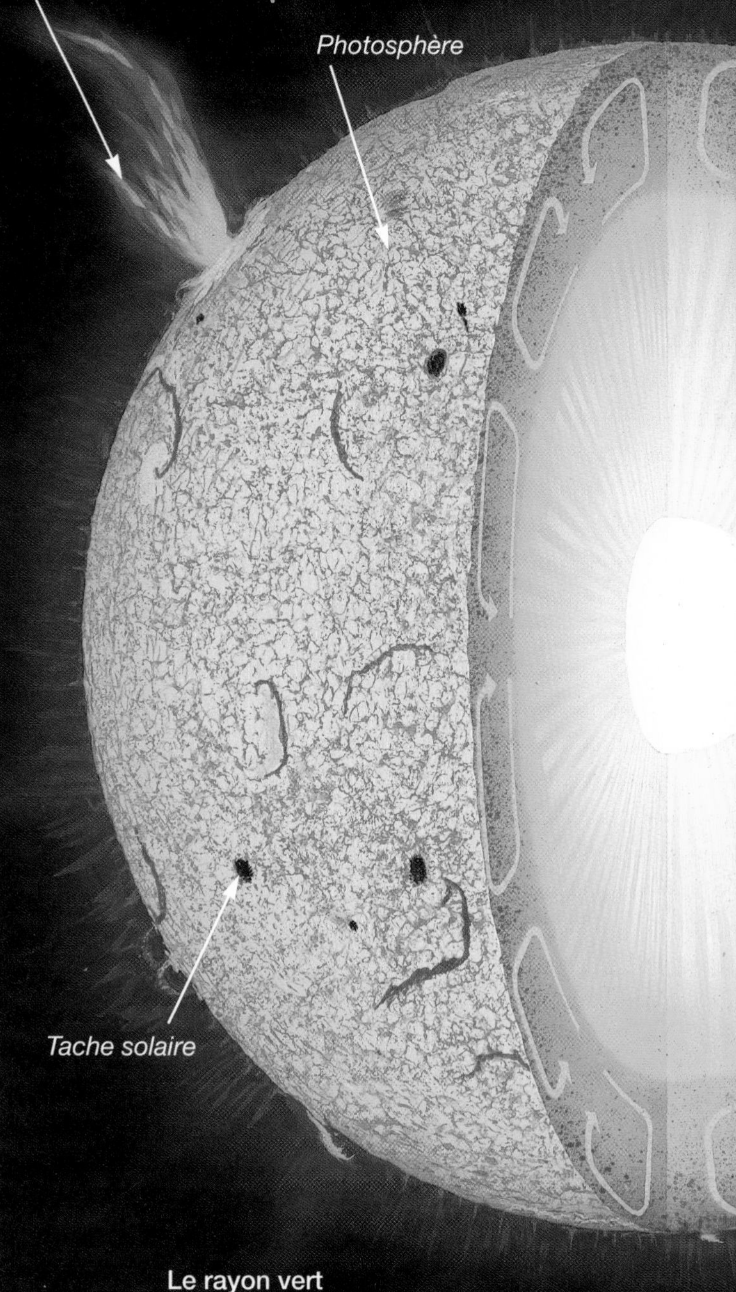

Le soleil rouge
Le soir, le disque solaire est juste au-dessus de l'horizon, et ses rayons, pour nous atteindre, traversent une grande épaisseur d'atmosphère. Les rayons de couleur bleue sont déviés vers le ciel, seuls les rayons rouges nous parviennent alors.

Soleil morcelé
Au soir d'une journée très chaude, le disque solaire apparaît sur l'horizon comme découpé en bandes allongées. Cet effet d'optique vient de ce que les rayons du Soleil, en traversant les couches d'air de plus en plus chaudes, ont été déviés.

Le rayon vert
Au crépuscule, juste avant de passer sous l'horizon, le Soleil n'est plus qu'un mince trait de lumière. Et lorsque l'atmosphère est très calme, les derniers rayons qui nous parviennent sont ceux de couleur verte.

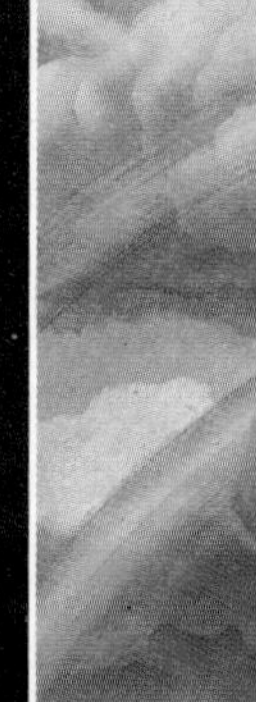

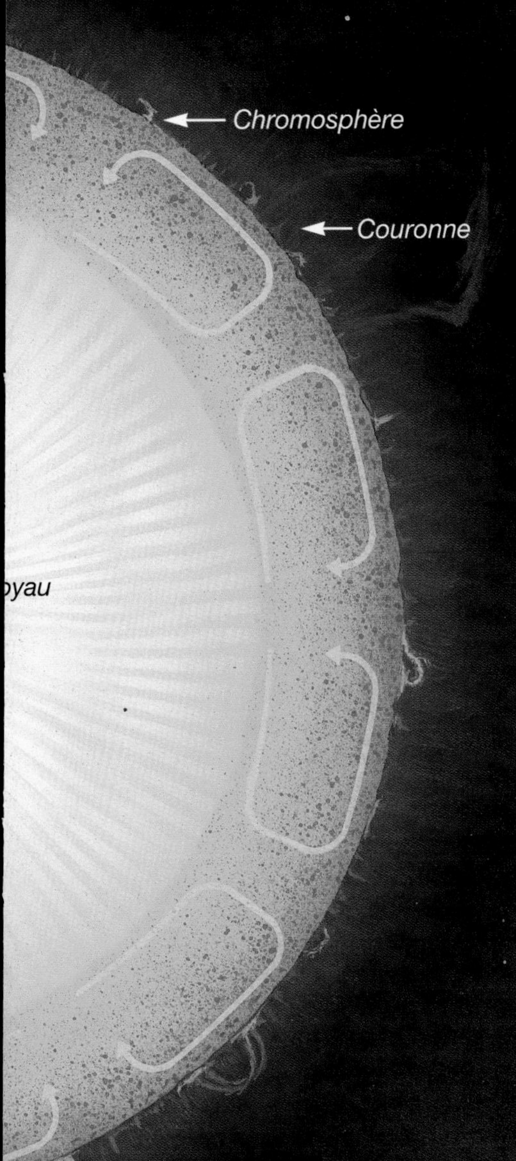

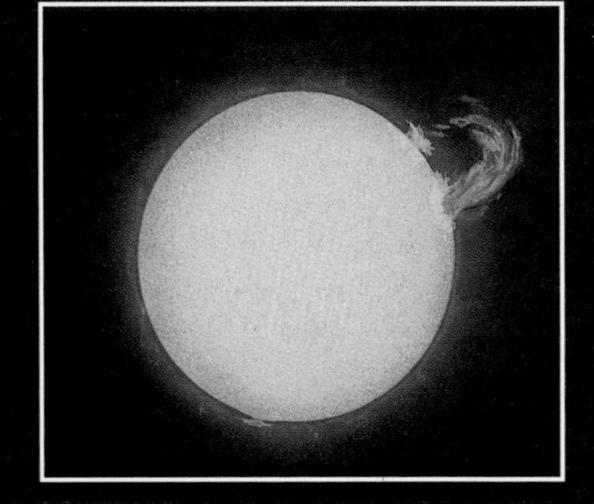

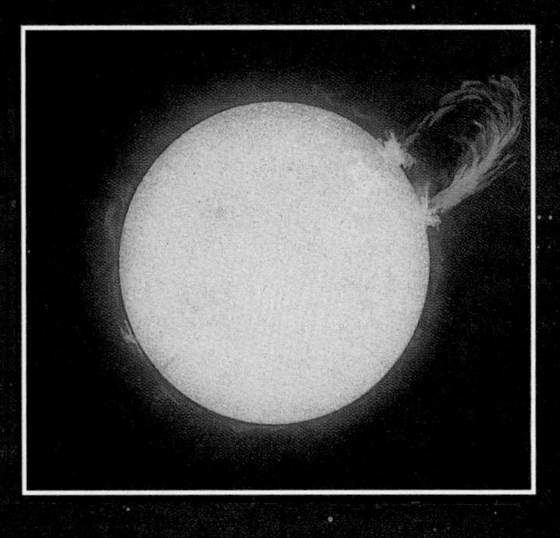

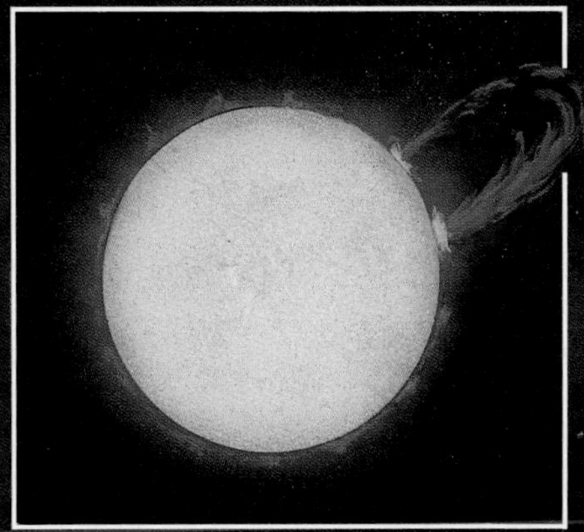

Ci-dessus, évolution d'une éruption solaire.

Le noyau est le cœur du Soleil. C'est un énorme chaudron dans lequel ont lieu des réactions nucléaires qui dégagent 15 000 000 de degrés.

La photosphère est la surface du Soleil, la température y est de 6 000 °C.

La chromosphère est une région située au-dessus de la photosphère, qui fait 1 500 à 2 000 km d'épaisseur et où la température est de 4 300 °C.

La couronne est une zone transparente située au-dessus de la chromosphère, qui s'étend sur des millions de kilomètres et où la température s'élève à un million de degrés.

Les taches solaires sont des zones sombres moins chaudes que les régions qui les entourent.

Les éruptions solaires ont lieu dans la couronne et donnent naissance à des protubérances. Ce sont des sortes d'énormes jets de matière qui peuvent mesurer jusqu'à 400 000 km.
On a constaté qu'après de grosses éruptions solaires, le climat de la Terre était modifié et que des aurores polaires apparaissaient au niveau des pôles.

L'arc-en-ciel
lumière du Soleil
est composée de
sept couleurs.
and elle traverse
rideau de pluie,
aque couleur est
déviée de façon
différente et
ressort séparée
des autres.

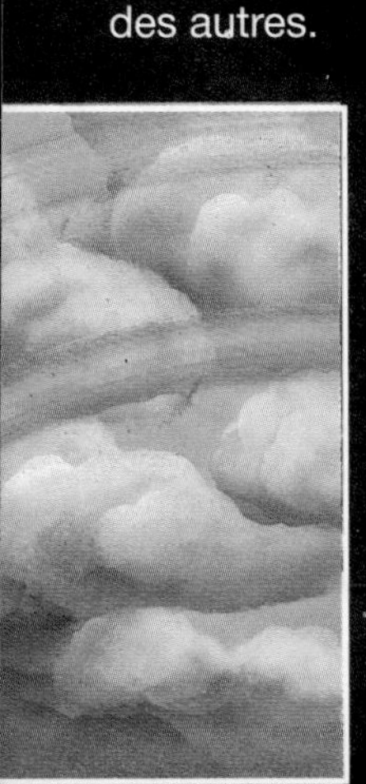

L'aurore polaire
Le vent solaire émet un souffle chargé de particules électriques. Quand ce souffle est très fort, les particules atteignent la Terre, elles se regroupent et se concentrent aux pôles. Là, jaillissent alors de grandes gerbes de lumière bordées de flammes : ce sont des aurores polaires.

Les éclipses
La Lune tourne autour de la Terre. À certains moments, elle passe juste entre la Terre et le Soleil. Le Soleil est alors caché par la Lune. C'est une éclipse de Soleil. Mais la Lune, plus petite que le Soleil, ne le cache pas complètement : on peut alors apercevoir le bord du disque solaire (la couronne).

LA TERRE

La Terre est la troisième planète du système solaire par la distance qui la sépare du Soleil (150 millions de km), et la cinquième par sa grandeur. Elle a la forme d'une sphère aplatie au niveau des pôles. Son diamètre est de 12 756 km.
Elle tourne sur elle-même en 23 h 56 min 4 s et autour du Soleil en 365 jours 1/4 à la vitesse de 108 000 km/h. La rotation de la Terre sur elle-même entraîne l'alternance du jour et de la nuit. Son mouvement autour du Soleil engendre les différentes saisons. La surface de la Terre est recouverte à 71 % par les océans.
La Terre a un satellite : la Lune.

L'atmosphère est composée de plusieurs couches qui s'élèvent jusqu'à 700 km d'altitude.

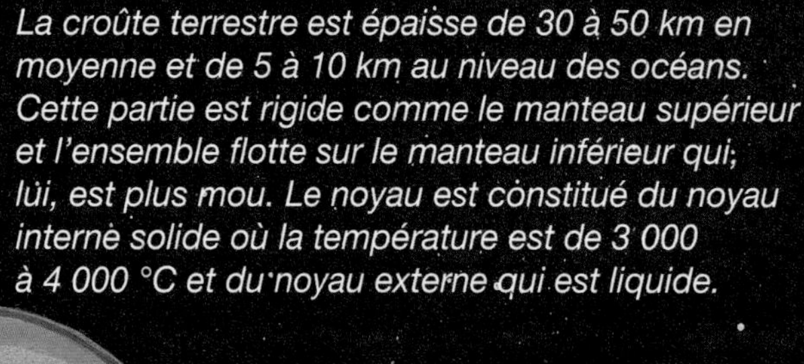
La croûte terrestre est épaisse de 30 à 50 km en moyenne et de 5 à 10 km au niveau des océans. Cette partie est rigide comme le manteau supérieur et l'ensemble flotte sur le manteau inférieur qui, lui, est plus mou. Le noyau est constitué du noyau interne solide où la température est de 3 000 à 4 000 °C et du noyau externe qui est liquide.

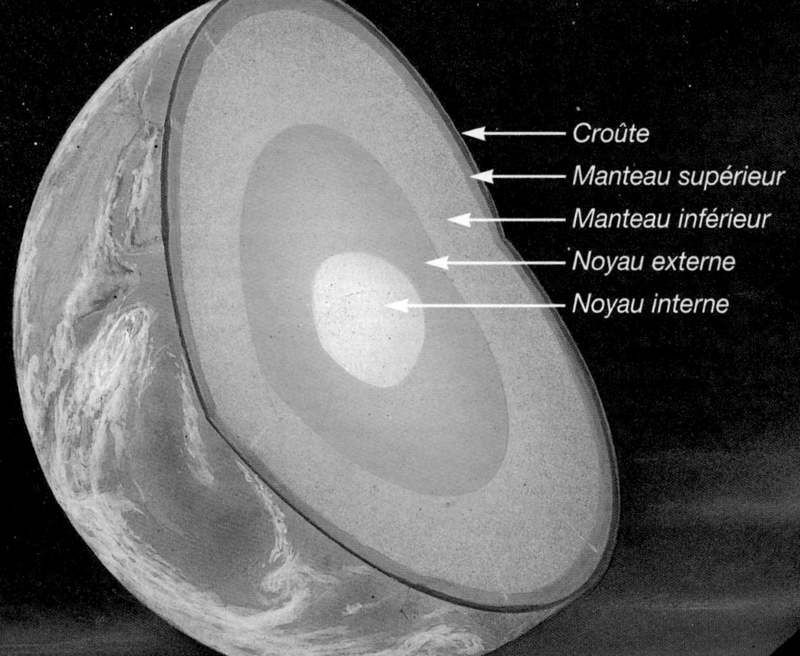

Reliefs et paysages de la Terre

La Terre a des reliefs et des paysages très divers et très beaux, des hautes montagnes glacées aux déserts brûlants et de la banquise aux forêts luxuriantes.

L'atmosphère

C'est une couche de gaz qui enveloppe certains astres et plus particulièrement la Terre. L'atmosphère terrestre est composée d'azote et d'oxygène. Le rôle de l'atmosphère est important : elle protège la Terre des rayons du Soleil puisqu'elle renvoie dans l'espace les 2/5 de l'énergie reçue. La nuit, elle retient la chaleur présente à la surface de la Terre. Grâce à cette enveloppe gazeuse, la Terre, principalement recouverte d'eau, apparaît bleue dans l'espace. C'est la seule planète du système solaire où l'eau existe sous forme liquide, ce qui a permis à la vie de se développer. Si l'atmosphère n'existait pas, les écarts de température seraient énormes : 100 °C le jour, et - 150 °C la nuit.

L'activité volcanique

Les volcans sont le signe visible de l'activité interne d'une planète. Toutes les planètes telluriques ont des volcans. Sur Terre, il y a différents types de volcans qui se distinguent par la nature de la lave qui en sort et par leur forme. Le plus haut volcan de la Terre s'élève à 9 000 m au-dessus des fonds marins, c'est le Mauna Loa, à Hawaii, dans le Pacifique.

LA LUNE

La Lune est le satellite naturel de la Terre. Situé à 384 000 km, c'est l'astre le plus proche de notre planète, c'est pour cela qu'il nous paraît gros et qu'on peut le voir à l'œil nu. En réalité, la Lune est quatre fois plus petite que la Terre. Grâce aux sondes envoyées depuis 1959 et aux missions spatiales commencées en 1969, on connaît la nature de son sol et son relief.
Sur sa surface, des montagnes s'élèvent à plus de 8 000 m, on y trouve aussi des plaines et d'énormes cratères creusés par la chute de météorites depuis des milliards d'années.
La rotation de la Terre et de la Lune autour du Soleil entraîne des mouvements des masses d'eau.

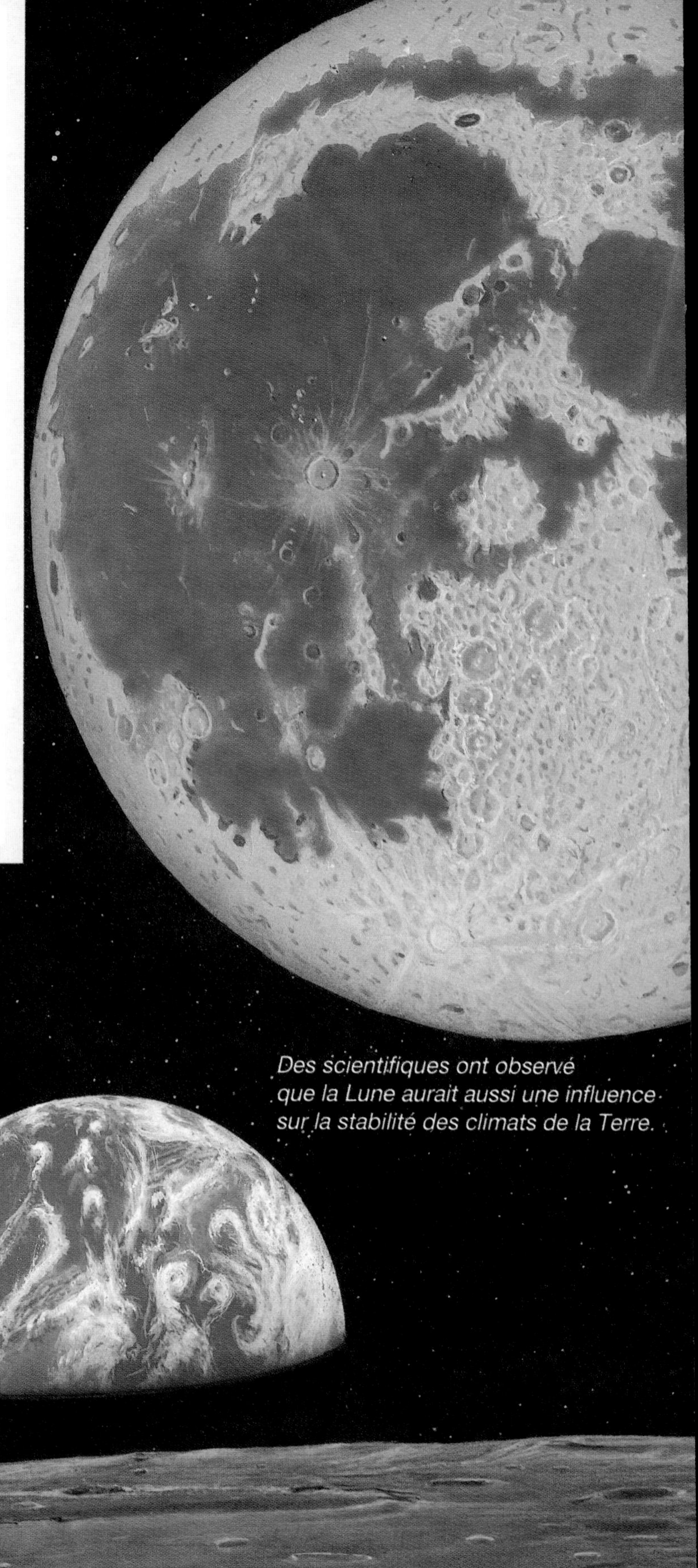

La Lune tourne sur elle-même et autour de la Terre.

Des scientifiques ont observé que la Lune aurait aussi une influence sur la stabilité des climats de la Terre.

La formation de la Lune

On ne sait pas encore exactement d'où vient la Lune. Plusieurs hypothèses ont été émises dont la plus sérieuse est qu'elle serait née de la collision entre la Terre et une autre planète au moment de leur formation, il y a 4,5 milliards d'années. Cette idée a été étudiée grâce à des simulations faites sur ordinateur. Mais à ce jour, l'énigme de la formation de la Lune demeure entière.

Aspect de la Terre vue depuis la surface de la Lune.

Vue de la Terre, la Lune présente des zones sombres que l'on a longtemps appelées des mers mais qui sont en fait des plaines puisqu'il n'y a pas d'eau sur la Lune. Contrairement à la Terre, il n'y a pas d'atmosphère, la Lune n'est donc pas protégée des chutes de météorites et des chauds rayons du Soleil. En plein jour, la température est de 140 °C, alors que la nuit elle peut descendre à -170 °C.

Sol d'une mer lunaire.

Cratère lunaire, le plus gros a environ 200 km de largeur !

Les différents aspects de la Lune

La Lune n'émet pas de lumière, elle réfléchit celle du Soleil. La Lune tourne autour de la Terre, qui elle-même tourne autour du Soleil, son aspect change donc régulièrement. Ci-contre, de haut en bas, sont représentés les différents aspects de la Lune au cours de sa rotation autour de la Terre.

croissant

premier quartier

pleine lune

lune gibbeuse

dernier quartier

croissant

MARS

On appelle Mars la planète rouge à cause de la poussière rougeâtre que le vent soulève sur son sol désertique. C'est une planète sèche et froide où la température peut descendre à - 60 °C, et où soufflent de violentes tempêtes. Sa surface est couverte de volcans dont certains sont géants ! Elle met 24 h 37 min pour faire un tour sur elle-même. En 1976, les sondes Viking 1 et Viking 2 ont survolé Mars et déposé des modules à sa surface. D'autres expéditions sont menées pour rapporter des échantillons de roches qui pourraient bien nous révéler s'il y a déjà eu de la vie sur Mars.

D'importantes expéditions

Grâce à la sonde américaine Pathfinder, un petit véhicule téléguidé a pu être déposé et rouler sur le sol martien en juillet 1997. On envisage des vols habités vers 2015, mais ce genre d'expédition doit être extrêmement bien préparé car le voyage durerait 6 mois à l'aller et autant au retour

Une planète sans eau ?

Actuellement sur Mars, il n'y a pas d'eau à l'état liquide, ni de vapeur d'eau dans l'atmosphère, qui est composée surtout de gaz carbonique.
Mais grâce au robot Sojourner, on sait que l'eau a dû couler à flots sur Mars, il y a 4 milliards d'années. Cette eau pourrait se trouver piégée dans le sol sous forme de glace. Qui dit eau, dit vie ! Ce secret sera certainement bientôt dévoilé grâce aux travaux du petit robot Sojourner.

L'Olympus Mons est un volcan géant, peut-être le plus grand du système solaire. Il mesure 25 km de haut et son diamètre à la base est de 600 km ! D'autres volcans d'environ 20 km de haut ont été aperçus, mais aucun n'est actif.

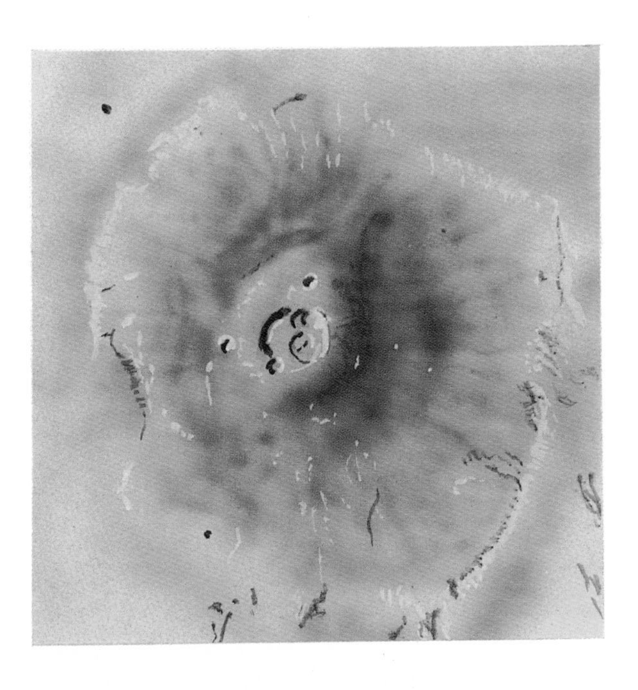

La surface de Mars

Elle présente un relief très varié : en plus des volcans, on y trouve des cratères creusés par la chute de météorites, de grandes failles ou canyons, des vallées, des plaines volcaniques et des champs de dunes.

Ci-dessous, différentes étapes montrent comment pourrait évoluer le paysage martien si on décidait d'y créer un nouveau lieu de vie à partir d'une ancienne vallée fluviale.
Il faudrait d'abord libérer les eaux, actuellement sous forme de glace .
La végétation apparaîtrait alors et fabriquerait l'oxygène nécessaire pour que la vie se développe.

Une vie future sur Mars ?

Certains astronomes pensent faire vivre des hommes sur Mars. Il faudrait pour cela produire de l'oxygène sur place grâce à l'installation de plantes sous serre qui fourniraient l'oxygène nécessaire aux hommes. Les plantes seraient aussi utiles pour la nourriture. Le transport de matériel sur Mars reviendrait très cher, surtout à cause du poids. Il faudrait donc installer des structures gonflables.

Le robot tout-terrain Sojourner, ci-dessous, qui a servi lors de la mission de juillet 1997, fonctionne grâce à des cellules solaires. Pas plus large qu'une valise, il avance à 40 cm à la minute, franchit des obstacles d'une dizaine de centimètres et est capable d'analyser certaines roches.

MERCURE ET VÉNUS

Mercure et Vénus sont des planètes telluriques. Mercure est la plus proche du Soleil et son observation est très difficile à cause de cette situation. On la connaît un peu plus grâce à la sonde Mariner 10, envoyée par les Américains et qui la survola en 1974. Sa surface est riche en cratères. Les scientifiques ont donné des noms d'artistes à tous ces cratères, comme Beethoven, Rabelais, Matisse, Renoir, Hugo, etc...
Vénus est la planète qui ressemble le plus à la Terre par sa taille, mais son atmosphère est surtout composée de gaz carbonique.

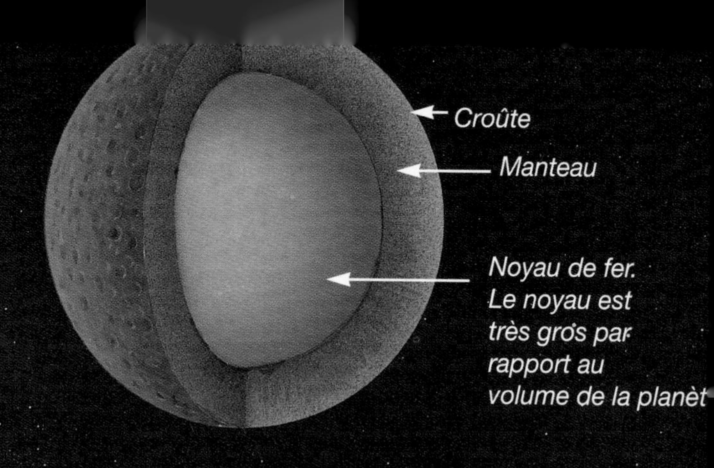
Croûte
Manteau
Noyau de fer.
Le noyau est
très gros par
rapport au
volume de la planèt

Mercure

Cette planète est située à 58 millions de kilomètres du Soleil et, comme elle tourne lentement sur elle-même, il existe de grandes variations de température entre les zones éclairées et les zones d'ombre (430 °C à - 180 °C). Mercure n'a pas d'atmosphère pour se protéger ; de ce fait, elle est recouverte d'une épaisse couche de petits débris venus s'écraser sur elle depuis des milliards d'années. Elle n'a pas non plus de satellites.

Mercure est la plus petite des planètes telluriques.

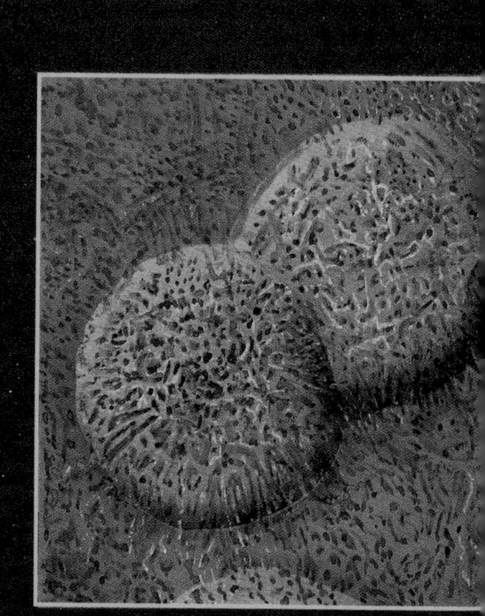

Il y a aussi de bien curieux dômes volcaniques à la surface de Vénus, qui ressemblent à de grosses assiettes retournées, mesurant 25 km de diamètre et sillonnées de canyons.

La surface de Mercure

Grâce à la sonde Mariner 10, on a pu observer un peu plus de la moitié de la surface de Mercure. On peut constater que cette surface est criblée de cratères comme celle de la Lune. Dans les années à venir, des missions d'exploration vont être envoyées vers Mercure, une sonde pourrait être mise en orbite et nous renseigner sur la

Grâce aux sondes envoyées sur Vénus, on a une petite idée de ses reliefs : en bleu, de grands bassins, en gris, des parties plus élevées avec des volcans et des canyons.

Vénus

Appelée aussi l'étoile du Berger, Vénus est située à 108 millions de kilomètres du Soleil. Elle est entourée d'une grosse épaisseur de nuages. Vénus est une vraie fournaise : sa température en surface est de 460 °C. Cette chaleur est due à l'activité de nombreux volcans qui projettent dans l'atmosphère des gaz, lesquels agissent comme les vitres d'une serre de jardin sous l'effet du Soleil, entraînant l'élévation de la température au sol. Dans ces conditions inhospitalières, l'eau n'est pas présente sur Vénus.

Pourtant cette planète ressemble à la Terre. Elle est presque aussi grosse et elle est née d'un même amas de gaz et de roches. Son diamètre est de 12 100 km. Sa température n'a pas toujours été aussi élevée. D'après les scientifiques, l'eau, sous forme de glace, de liquide ou de vapeur, existait au moment de sa formation. Mais Vénus étant plus près du Soleil que la Terre, elle a reçu plus de chaleur, et l'eau s'est évaporée. Cette planète n'a pas de satellites.

JUPITER ET SATURNE

Ces énormes planètes gazeuses sont les deux plus grandes des planètes géantes. Jupiter et Saturne sont environ dix fois plus grosses que la Terre ! Toutes deux sont des mondes glacés encerclés d'anneaux et de satellites. L'atmosphère qui les entoure est agitée par des tourbillons, tornades et cyclones. Sur Jupiter, on peut voir une trace rouge, grande comme quatre fois la France, qui est le sommet d'un gigantesque cyclone ! Il faut des années pour que les sondes atteignent ces planètes très éloignées de la Terre. Entre 1979 et 1981, les sondes Voyager I et II ont pu apporter de nouvelles informations sur Jupiter et les anneaux de Saturne.

La sonde Galileo

Cette sonde a élargi nos connaissances sur l'atmosphère et les nuages enveloppant Jupiter. Lancée en 1989, il lui a fallu 6 ans pour approcher Jupiter en 1995 ! La sonde se compose d'un orbiteur, qui tourne autour de Jupiter et d'un élément plus petit, le module. Le module, largué par l'orbiteur et freiné par un parachute, s'est enfoncé dans l'atmosphère de Jupiter. Mais la pression devenant trop forte, il n'a pu fonctionner qu'une petite heure. Cependant, les informations qu'il a transmises sont si importantes qu'il faudra des années pour les analyser.

Jupiter et ses satellites

Jupiter possède 2 fins anneaux et 16 satellites. Les 4 plus gros sont Ganymède, Callisto, Io et Europe. Les satellites sont composés d'un mélange de glaces et de roches. La surface de Ganymède est parsemée de cratères creusés par des chutes de météorites. On observe sur Io des quantités de volcans. Certains, en éruption, lancent des masses de matière jusqu'à une centaine de kilomètres de hauteur. Io est ainsi, avec la Terre, le seul corps céleste du système solaire portant des volcans actifs.

Callisto

Ganymède

Jupiter est la plus grosse des planètes du système solaire. En son centre, la température s'élève à 30 000 °C ! Elle est balayée par des vents très forts (600 km/h). Elle est située à 778 millions de kilomètres du Soleil.

Saturne et ses satellites

De toutes les planètes géantes, c'est Saturne qui a le plus de satellites. Elle en a 18, parmi lesquels l'énorme Titan, plus gros que la Lune ! En 1980, la sonde Voyager I a survolé Saturne, ses anneaux et ses satellites, et a photographié Titan. La température moyenne de Saturne est basse (-150 °C à la surface des nuages), et des vents violents y soufflent (1 500 km/h).

Saturne se trouve à 1,4 milliards de kilomètres du Soleil.

Les anneaux de Saturne

Saturne est entourée de magnifiques anneaux qui dessinent autour de la planète des bandes de diverses couleurs. Ces anneaux sont formés de milliers d'autres plus fins. Ils sont composés de petites particules glacées mêlées à des poussières minérales.

Titan

Io

Europe

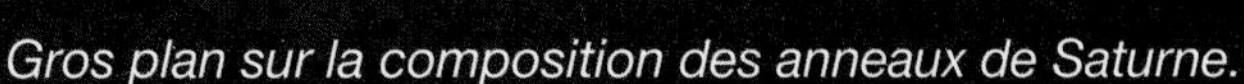

Gros plan sur la composition des anneaux de Saturne.

La composition de Saturne

Comme Jupiter et les autres planètes géantes, Saturne est surtout composée de deux éléments chimiques : l'hydrogène et l'hélium. Plus on va vers le centre, plus ces gaz sont comprimés et lourds. Saturne est une planète légère : si elle baignait dans un océan, elle y flotterait !

URANUS, NEPTUNE ET PLUTON

Ce sont les planètes les plus éloignées du Soleil, donc très difficiles à étudier. Uranus a été découverte en 1781, Neptune en 1846 et Pluton en 1930. Uranus et Neptune appartiennent à la catégorie des planètes géantes gazeuses dont Neptune est la plus petite. Elles ont toutes les deux une belle couleur bleue. Uranus, qui a un diamètre 4 fois plus grand que celui de la Terre, met 84 ans pour faire le tour du Soleil. Ses saisons durent 42 ans pour l'hiver et autant pour l'été. Pluton serait un rocher entouré d'une épaisse couche de glace. Aucune sonde n'a survolé cette planète.

Les satellites d'Uranus

Uranus a 15 satellites dont les 5 plus gros ont été observés directement depuis la Terre alors que les autres ont été identifiés grâce à la sonde Voyager II. Miranda, un des plus volumineux, a un diamètre de 480 km et une surface présentant de nombreux cratères.

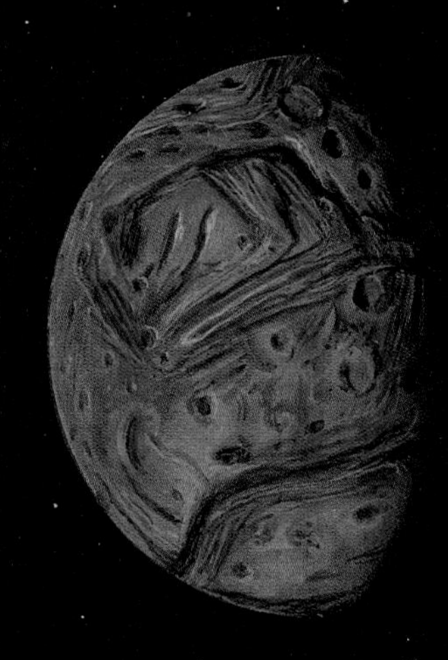

Miranda

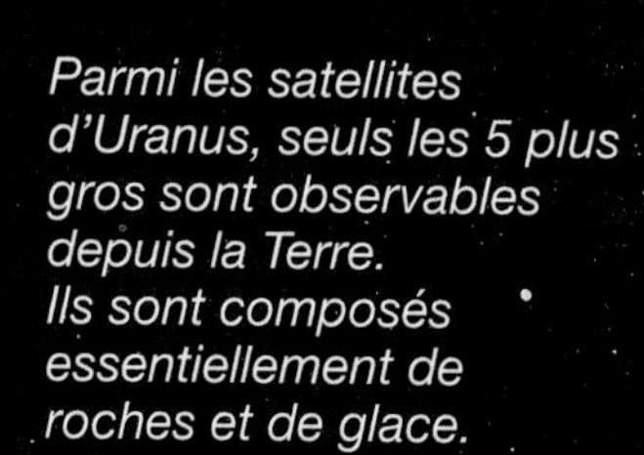

Parmi les satellites d'Uranus, seuls les 5 plus gros sont observables depuis la Terre. Ils sont composés essentiellement de roches et de glace.

Neptune

La sonde Voyager II a survolé cette très jolie planète bleue en août 1989. Les filaments blancs que l'on aperçoit à sa surface sont des nuages très épais poussés par des vents violents pouvant souffler jusqu'à 1 600 km/h ! Située à 4,5 milliards de kilomètres du Soleil, elle en fait le tour en 165 ans ! Sa température avoisine les - 220 °C. Neptune a 8 satellites dont le plus gros est Triton, qui est un des corps les plus froids du système solaire (- 235 °C à sa surface). Comme les autres planètes géantes, Neptune possède des anneaux.

La tache sombre visible à gauche sur la planète est un énorme ouragan, dont les dimensions avoisinent celles de la Terre et qui tourne à plus de 600 km/h.

Uranus

C'est par hasard qu'Uranus a été découverte par l'Anglais William Herschel alors qu'il pensait observer une comète. Située à 2,8 milliards de kilomètres du Soleil, sa température est d'environ - 200 °C. Elle est entourée de 11 anneaux très sombres découverts en 1986 par la sonde Voyager II.

Triton, le plus gros satellite de Neptune, présente des geysers en surface.

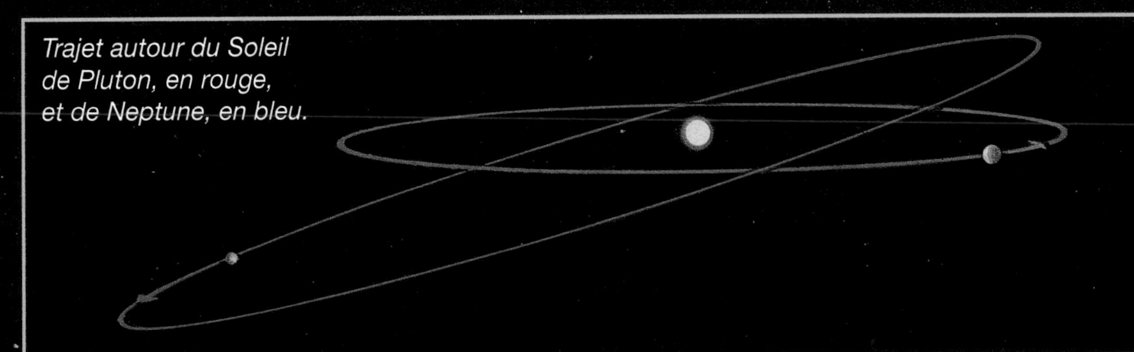

Trajet autour du Soleil de Pluton, en rouge, et de Neptune, en bleu.

Pluton

C'est la planète la plus petite du système solaire et la plus éloignée du Soleil : 7,4 milliards de kilomètres. Lors de son trajet autour du Soleil, elle se trouve parfois à la même distance que Neptune. On lui connaît un seul satellite à ce jour : Charon. Les Américains pensent lancer en 2001 et 2003 des sondes qui atteindront Pluton et Charon 12 ans plus tard !

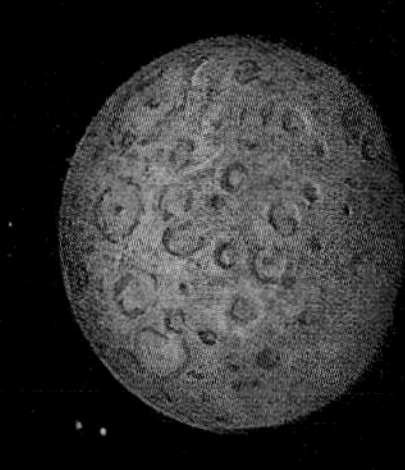

Charon, satellite de Pluton.

Pluton avec l'ombre de Charon.

D'AUTRES CORPS CÉLESTES

L'espace entre les planètes qui tournent autour du Soleil n'est pas vide, il est occupé par de nombreux astres de petite taille appelés astéroïdes, par des comètes venues de loin et par des blocs rocheux et des poussières. Certains de ces blocs tombent sur Terre après avoir brûlé dans l'atmosphère : ce sont des étoiles filantes. D'autres, plus gros, heurtent la Terre violemment en creusant des cratères : les météorites. Ce serait une météorite géante qui serait à l'origine de la disparition des dinosaures, il y a 65 millions d'années. Dans le monde, on a relevé 120 traces de météorites

Qu'est-ce qu'une comète ?

Les comètes, connues depuis des milliers d'années, sont composées de glace et de poussières. Lorsqu'elles s'approchent du Soleil, la glace s'évapore, ce qui provoque de superbes traînées lumineuses semblables à une longue chevelure. La dernière comète à nous avoir offert un très beau spectacle fut Hale Bopp, au début de l'année 1997. Elle reviendra en 4542 !

Des cicatrices profondes

La surface de la Terre porte des traces de collisions avec des corps célestes. Le cratère ci-dessous se trouve aux États-Unis. Cette énorme cuvette de 1 200 m de diamètre et de 180 m de profondeur a été creusée par une météorite de 100 000 t qui est tombée, il y a 25 000 ans, à la vitesse de 100 000 km/h. Dans les secondes qui ont suivi le choc, des tonnes de roches pulvérisées et brûlantes ont été projetées dans tous les sens, détruisant les animaux et les plantes sur leur passage : une vraie explosion atomique. Ce genre de collision est toujours possible et les scientifiques scrutent le ciel en permanence à travers de puissants télescopes et satellites, pour prévenir d'une éventuelle catastrophe. Les savants américains étudient la possibilité de détruire les météorites dangereuses pour la Terre à l'aide de bombes nucléaires.

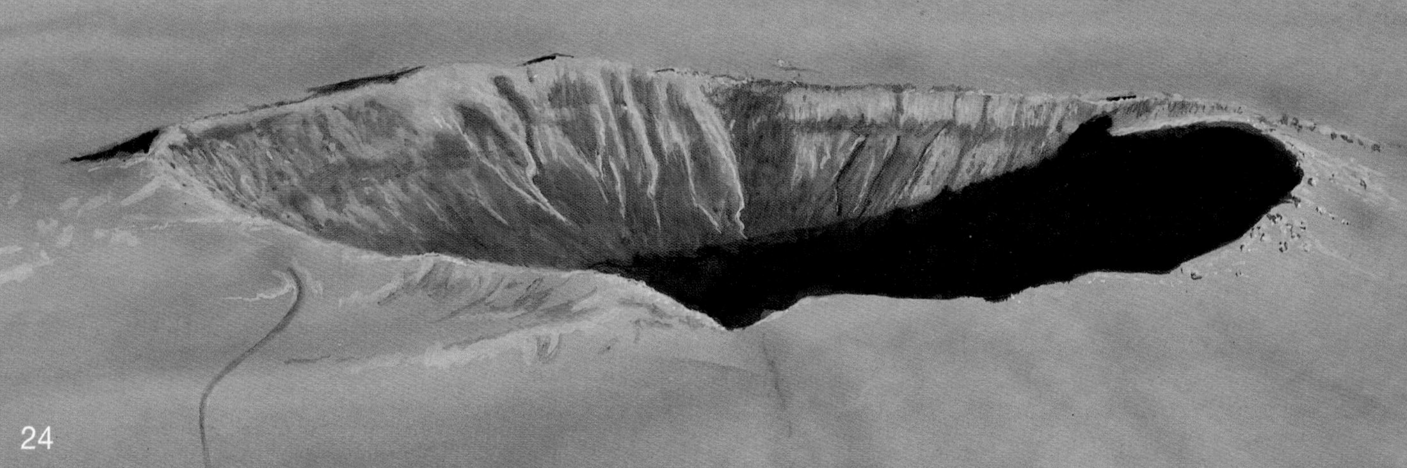

D'où viennent les comètes ?

Surgissant des profondeurs de l'espace, elles proviendraient de ce que les savants nomment un réservoir, le nuage de Oort, situé bien après Pluton, dans lequel il y aurait cent milliards de comètes. Mais pourquoi certaines quittent-elles ce nuage pour se rapprocher du Soleil ? Les astronomes pensent que de grosses planètes, comme Jupiter ou Saturne, les attirent. Et pourquoi reviennent-elles périodiquement ? Encore un mystère...

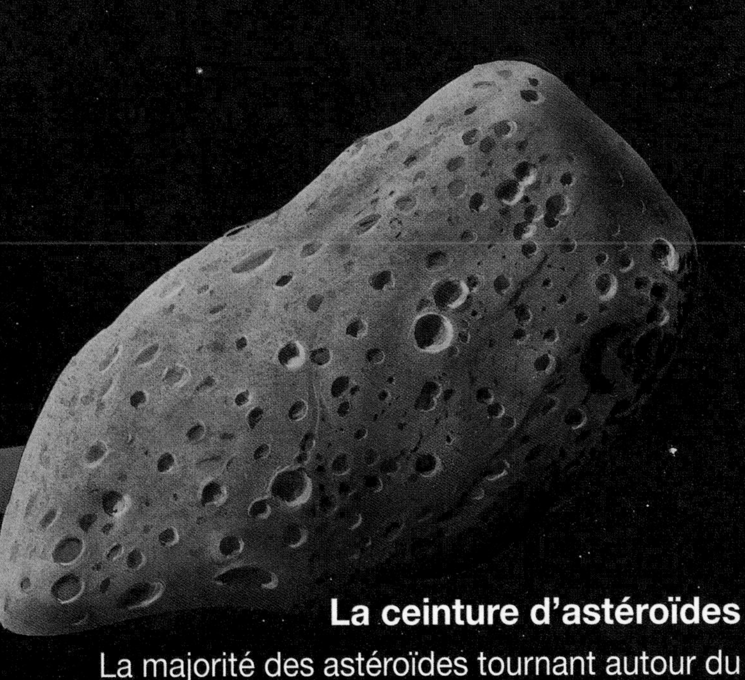

La ceinture d'astéroïdes

La majorité des astéroïdes tournant autour du Soleil se trouvent entre l'orbite de Jupiter et celle de Mars. En 1991, la sonde Galileo a transmis pour la première fois l'image d'un astéroïde, baptisé Gaspra, qui fait 19 km sur 12 km. Le plus gros des astéroïdes de cette région identifié à ce jour mesure 1 000 km de diamètre !

LA CONQUÊTE DE L'ESPACE

Dans son livre *De la Terre à la Lune*, Jules Verne avait imaginé, en 1865, que l'homme voyagerait dans l'espace. Un siècle plus tard, ce rêve devient réalité. En 1933, une fusée russe s'élève à 400 m. Une formidable course à l'espace s'engage alors entre Russes et Américains. En 1961, le Soviétique Youri Gagarine est le premier voyageur de l'espace, puis les Américains lancent leur programme Apollo destiné à envoyer l'homme sur la Lune. En 1969, lors de la mission Apollo 11, un homme pose le pied sur le sol lunaire.

Saturn V est une fusée géante suffisamment puissante pour lancer le vaisseau Apollo situé à son sommet. Ce vaisseau comprend le module de commande (Columbia) et le module lunaire (le Lem).

Le formidable voyage lunaire

1- Le trajet effectué par Apollo 11.
2- Éléments de la fusée Saturn V.
3- Le 16 juillet 1969, les Américains Neil Armstrong, Edwin Aldrin et Michael Collins, à bord d'Apollo 11, s'envolent vers la Lune.
4- La fusée Saturn V largue le Lem et Columbia.
5- Armstrong et Aldrin passent dans le Lem. Il se détache de Columbia, où Collins reste aux commandes.
6- 21 juillet 1969, Neil Armstrong pose le pied sur la Lune. Sur Terre, des centaines de millions de personnes suivent l'événement en direct !
7- Armstrong est rejoint par Aldrin. Un drapeau américain est planté et des instruments scientifiques sont installés sur le sol lunaire.
8/9- Le Lem repart vers la capsule Columbia.
10/11- Les 3 astronautes sont à nouveau réunis dans le vaisseau ; ils entrent dans l'atmosphère de la Terre et amerrissent dans le Pacifique le 24 juillet.

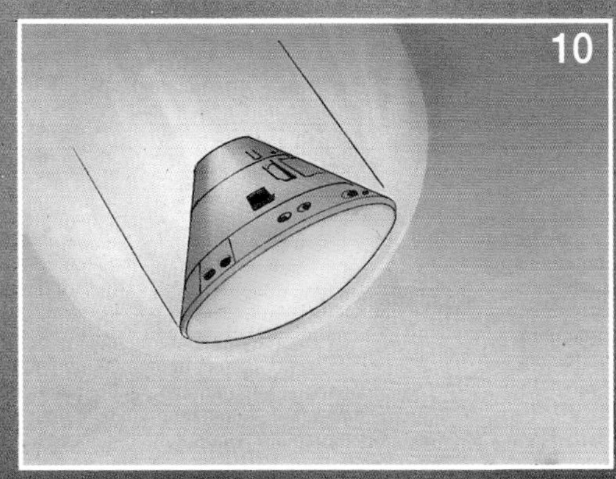

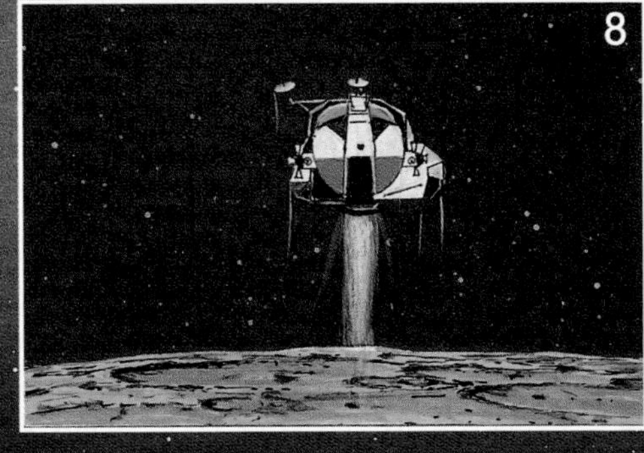

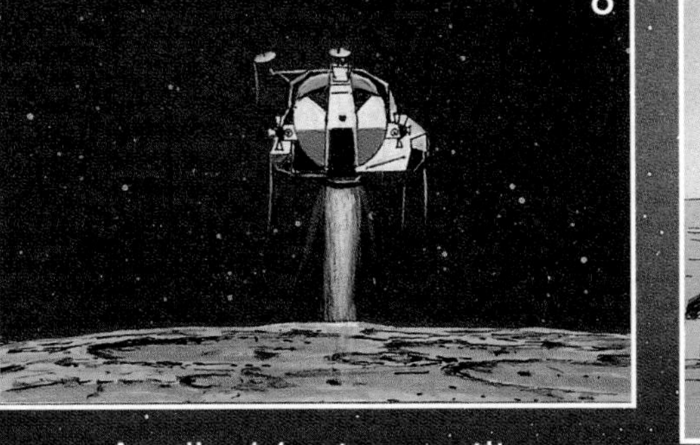

es autres missions

autres sorties sur la Lune se nt succédé entre 1969 et 72. De nouveaux équipements ont été amenés : une brouette ur le transport des roches, avec Apollo 14, et un petit véhicule lunaire, le Luna Rover, lors de la sortie d'Apollo 15. Différents lieux de la Lune ont été explorés.

L'avenir

Dans l'avenir, on projette d'installer une base scientifique sur la Lune, mais on pense aussi développer les recherches sur Mars et envoyer des missions recueillir des roches martiennes.

Avec Apollo 13, on frôle la catastrophe à cause d'une explosion dans le vaisseau qui réduit les réserves d'oxygène.

TABLE DES MATIÈRES

LA MÉTÉO

L'ATMOSPHÈRE

L'EAU DANS L'AIR

LES NUAGES

LES PRÉCIPITATIONS

LA TEMPÉRATURE ET LE VENT

LE TRANSPORT FLUVIAL

ORAGE, OURAGAN, TORNADE ET CYCLONE

LES CLIMATS ET LES SAISONS

PRÉVOIR LE TEMPS

LA POLLUTION ATMOSPHÉRIQUE

UTILISER L'AIR

LES PLANÈTES

L'ASTRONOMIE

LE SYSTÈME SOLAIRE

LE SOLEIL

LA TERRE

LA LUNE

MARS

MERCURE ET VÉNUS

JUPITER ET SATURNE

URANUS, NEPTUNE ET PLUTON

D'AUTRES CORPS CÉLESTES

LA CONQUÊTE DE L'ESPACE

ISBN 2.215.062.66.5

Dépôt légal à la date de parution.
Conforme à la Loi N°49-956 du 16 juillet 1949
sur les publications destinées à la jeunesse.
Imprimé en Italie (09-99).